2

Flavia Fornili

PROGETTO ITALIANO

Junior

Corso multimediale di lingua e civiltà italiana

EDILINGUA

Flavia Fornili è laureata in Lettere classiche, ha insegnato Lettere nella scuola secondaria di secondo grado e poi in quella di primo grado, dove si è occupata per alcuni anni anche dell'insegnamento dell'italiano a studenti stranieri. Attualmente è docente di ruolo di Lettere alle medie inferiori.
Nel gennaio del 2009 ha conseguito il diploma di Master Promoitals in insegnamento e promozione di lingua e cultura italiana a stranieri; in seguito a questa specializzazione ha iniziato una collaborazione con l'Università Statale di Milano come insegnante di italiano per gli studenti stranieri aderenti al progetto Erasmus.

© **Copyright edizioni Edilingua**
Sede legale
Via Cola di Rienzo, 212 00192 Roma
Tel. +39 06 96727307
Fax +39 06 94443138
info@edilingua.it
www.edilingua.it

Deposito e Centro di distribuzione
Via Moroianni, 65 12133 Atene
Tel. +30 210 5733900
Fax +30 210 5758903

I edizione: settembre 2010
ISBN: 978-960-693-037-9
Redazione: Marco Dominici, Antonio Bidetti
Impaginazione e progetto grafico: Edilingua

Ogni azione umana ha un impatto sull'ambiente. A Edilingua siamo convinti che il futuro del nostro Pianeta dipende anche da ognuno di noi. "**La Terra ha bisogno del tuo aiuto**" è una piccola ma costante campagna di sensibilizzazione rivolta agli studenti: ogni nostro libro vuole essere un invito alla riflessione, uno stimolo al risparmio energetico e alla riduzione delle emissioni di CO_2. Ulteriori informazioni sul nostro sito (in "chi siamo").

Stampato su carta priva di acidi, proveniente da foreste controllate.

Gli autori apprezzerebbero, da parte dei colleghi, eventuali suggerimenti, segnalazioni e commenti sull'opera (da inviare a redazione@edilingua.it)

Premessa

La *Guida per l'insegnante* si rivolge a tutte/i le/gli insegnanti che utilizzano *Progetto italiano Junior 2* nei corsi di italiano LS/L2. *Progetto italiano Junior* è un manuale pensato e realizzato specificamente per preadolescenti e adolescenti, con un continuo e preciso riferimento al loro mondo, alle loro abitudini e al loro vissuto quotidiano; in questo particolare contesto vengono inserite le opportunità di apprendimento della lingua italiana.

La Guida segue i medesimi principi ispiratori; nella sua realizzazione, l'obiettivo principale perseguito è stato quello di offrire ai colleghi uno strumento agile e funzionale all'insegnamento della lingua italiana a giovani e giovanissimi.

La *Guida per l'insegnante* rispetta la struttura del manuale. Si sviluppa, infatti, in sei unità il cui svolgimento viene accuratamente riproposto con l'aggiunta di interessanti spunti, per la programmazione e la realizzazione di momenti di approfondimento, e con l'inserimento di attività ludiche, di momenti di rinforzo grammaticale e di potenziamento degli aspetti comunicativi già presentati nel manuale.

Il contenuto di ogni unità della Guida è introdotto da un sommario che riepiloga le strutture comunicative, lessicali e grammaticali trattate e gli argomenti di civiltà che il manuale affronta nelle sezioni *Conosciamo l'Italia*.

All'inizio di ogni unità si trova un elenco del materiale extra necessario per la preparazione e lo svolgimento delle attività, messo a disposizione dei docenti sotto forma di schede e tabelle da fotocopiare.

Segue una sezione introduttiva, *Per cominciare*, la quale, rispecchiando la disposizione degli argomenti utilizzata in *Progetto italiano Junior 2*, inquadra il contenuto generale dell'unità.

Come per il manuale, anche ogni attività della Guida è presentata con indicazioni esplicative che ne rendono immediata la comprensione e forniscono la misura della potenziale ricaduta nel processo di apprendimento/insegnamento attuato in classe.

Nei casi in cui siano necessarie, per ogni attività vengono inoltre fornite le soluzioni.

Per favorire un approccio più coinvolgente allo studio della materia, la Guida prevede inoltre attività da svolgere a coppie o in piccoli gruppi, con modalità di gioco che rendono maggiormente piacevole le varie fasi dell'apprendimento e forniscono ulteriore motivazione alla comunicazione in lingua italiana come LS o come L2.

Per quanto concerne gli argomenti grammaticali, tutti quelli trattati nel manuale vengono ripresi con spiegazioni chiare e immediate che facilitano la presentazione agli studenti e ne agevolano l'approfondimento e il rinforzo, mediante la ripresa di tabelle grammaticali complete o da completare per utilizzare e verificare quanto appreso.

La Guida contiene infine tutte le chiavi di correzione delle attività proposte nel manuale e degli esercizi del Quaderno, nonché la trascrizione delle tracce audio del cd allegato al libro.

Sperando di poter contribuire a rendere l'utilizzo di *Progetto italiano Junior 2* ancora più piacevole e proficuo, auguro a tutti buon lavoro e ringrazio in anticipo per osservazioni e critiche.

L'autrice

Indice

Elementi comunicativi e lessicali

- Fare progetti
- Fare previsioni
- Fare promesse
- Formulare ipotesi
- Chiedere e dare conferme
- Lessico legato ai progetti extrascolastici
- Lessico legato all'oroscopo e ai segni zodiacali

Elementi grammaticali

- Indicativo futuro semplice delle tre coniugazioni (-*are*, -*ere*, -*ire*)
- Indicativo futuro semplice di *essere, avere, fare*
- Indicativo futuro composto di *essere* e *avere*

- Indicativo futuro composto delle tre coniugazioni (-*are*, -*ere*, -*ire*)
- Gli usi del futuro semplice e del futuro composto
- Il periodo ipotetico della realtà

Civiltà

- I progetti extracurricolari nelle scuole italiane
- Gli italiani e l'astrologia

Per cominciare...

Osservate e commentate le immagini che introducono l'attività; chiedete agli studenti di parlare di attività e iniziative della scuola che non abbiano al centro vere e proprie materie di studio. Quale può essere lo scopo di queste attività? Perché vengono proposte dalla scuola?

Fate poi ipotizzare agli studenti il significato dell'espressione *progetti extrascolastici*, scrivendola alla lavagna e scomponendo l'aggettivo *extrascolastici* in due parti:

extra – scolastici.

È possibile che qualcuno dei vostri studenti sia in grado di risalire a un significato adeguato partendo da *extra* = *fuori* e *scolastici* = *relativi alla scuola*; in caso contrario spiegatelo voi: i progetti extrascolastici sono progetti che ogni anno le scuole italiane propongono agli studenti, oltre il normale orario di scuola. Alcune volte, soprattutto nella scuola secondaria di primo grado (1, 2, 3 media) i progetti vengono gestiti all'interno del normale orario di scuola, con esperti esterni che intervengono affiancando gli insegnanti della scuola.

Accennate al fatto che molte parole italiane sono composte attraverso l'uso di prefissi o suffissi, talvolta di origine greca o latina, tra i quali viene annoverato anche il prefisso *extra*. Chiedete agli studenti altre parole formate nello stesso modo; se non ne conoscono fate voi qualche esempio; scrivetele alla lavagna, "scomponetele" e spiegatele. Ad esempio:

extra - terrestre = che si trova o vive fuori dal pianeta Terra

extra - comunitario = che non fa parte della Comunità Economica Europea

extra - curricolare = fuori dal curriculum, cioè che non è previsto nel programma scolastico

1 Fate osservare le vignette/fotografie e chiedete ai vostri studenti di discutere su quali delle attività presentate sarebbe effettivamente programmabile nella loro scuola e su quale loro sceglierebbero volentieri di frequentare.
Fate anche notare che in alcune parole il significato di *extra-* non è quello di *fuori di* ma è uguale a *più che* (ad esempio, olio *extravergine* = olio *più che* genuino).

Oltre ad *extra-*, esistono in italiano un numero cospicuo di prefissi e altrettanto numerosi sono i suffissi attraverso i quali si formano parole attraverso il processo di derivazione. A puro scopo esemplificativo della produttività del processo di prefissazione e suffissazione potete citare ad esempio il prefisso *a-* (senza, non) di *a*-normale, *a*-sociale, *a*-politico; il prefisso *dis*-(*non*) di *dis*-organizzato, *dis*-imparare, *dis*-uso. Naturalmente non tutte le parole che iniziano con la vocale *a* o con la sillaba *dis* sono derivate attraverso quei prefissi; si pensi ad esempio ai termini *artista* o *distanza*. Il discorso sulla morfologia derivativa è molto interessante ma piuttosto complesso anche per i parlanti nativi; sarà quindi opportuno affrontarlo in modo approfondito a un livello più avanzato.

2 Introducete l'ascolto precisando che l'argomento trattato sarà inerente ad alcune attività extrascolastiche di cui si è parlato precedentemente; chiedete agli studenti di individuare di quali progetti si parla nel dialogo. Si parla di:
- gemellaggio con una scuola straniera
- educazione ambientale
- concorso musicale

3 Procedete al riascolto del dialogo e chiedete agli studenti di individuare quali delle affermazioni riportate sul libro siano esatte.
 Soluzione: 1, 3

Prima parte

A Vinceremo noi!

1 Prima di procedere alla lettura, osservate e descrivete le vignette; ci sono molti oggetti di uso scolastico: quali nomi ricordano i vostri studenti?
Ora leggete il dialogo ad alta voce e controllate le risposte della precedente attività.
Soluzione: 1, 3

2 Fate leggere il dialogo a coppie di studenti, facendo interpretare a turno la parte dell'insegnante e la parte degli studenti.
Osservate le espressioni segnalate in blu nel testo e spiegate la loro funzione comunicativa: sono parole utilizzate nella lingua parlata più che in quella scritta, a volte come esclamazioni (*Bello! Perfetto!*), altre per rafforzare il significato di ciò che viene detto (*Forte!*) o per esprimere un dubbio della persona che parla (*Magari…*).
Accennate al fatto che la parola magari, in questo testo utilizzata nel suo senso di "*forse, chissà*", può anche essere un'esclamazione:
- "Vieni in vacanza con me?"
- "Magari!".

3 Chiedete agli studenti di riutilizzare in coppia le espressioni in blu del dialogo per completare questa attività.

Soluzione: 1. Bello, 2. forte, 3. Magari, 4. Perfetto

Role play

Scrivete alla lavagna coppie di frasi per costruire dei minidialoghi e chiedete loro di lavorare a coppie per abbinarle, riflettendo bene sul significato delle espressioni appena imparate. Gli studenti recitano a turno i ruoli di A e B.

Studente A
1) Hai sentito il nuovo disco di Tiziano Ferro?
2) Ieri ci siamo iscritti al concorso musicale della scuola.
3) Questa sera mangiamo la pizza tutti insieme.
4) Domani ci sarà il sole.

Studente B
a) Magari andremo al mare.
b) Bello! Non vedo l'ora di ascoltare la vostra canzone!
c) Sì, forte! Mi è piaciuto molto.
d) Perfetto! Ho il frigorifero vuoto.
Variante: scrivete solo le frasi A e chiedete agli studenti, sempre in coppia, di ideare una o più frasi di risposta utilizzando le espressioni appena apprese.

4 Chiedete a ogni studente di rispondere alle domande.

Risposte: 1. Il prof parla di tre progetti extrascolastici, 2. Ad Alessia piace l'idea del gemellaggio perché spera di andare a Parigi, 3. A Chiara piace il progetto di educazione ambientale perché vuole pulire il bosco vicino a casa sua, 4. Il concorso musicale sarà tra le scuole della città, 5. Dino è ottimista perché pensa che sarà un ottimo manager per il gruppo musicale della scuola

5 Chiedete a ogni studente di leggere il dialogo e procedere al completamento utilizzando le parole date.
Soluzione: manderà, vinceremo, suoneranno, canterai, sceglieremo, sarai

6 Chiedete agli studenti di completare la tabella con i verbi mancanti:
Soluzione: lui/lei/Lei manderà, voi sceglierete, noi puliremo
Spiegate poi la formazione dell'indicativo futuro semplice dei verbi regolari, i suoi significati e date delle anticipazioni relative agli usi del futuro nella lingua italiana.
Scrivete alla lavagna l'infinito di un verbo regolare italiano per ogni coniugazione e mostrate la formazione dell'indicativo futuro togliendo la desinenza dell'infinito presente e aggiungendo quelle del futuro semplice, come indicato nella tabella:

INDICATIVO FUTURO SEMPLICE		
	I coniugazione am-are	II coniugazione tem-ere
io	am-erò	tem-erò
tu	am-erai	tem-erai
lui/lei/Lei	am-erà	tem-erà
noi	am-eremo	tem-eremo
voi	am-erete	tem-erete
loro	am-eranno	tem-eranno

III coniugazione fin-ire	
io	fin-irò
tu	fin-irai
lui/lei/Lei	fin-irà
noi	fin-iremo
voi	fin-irete
loro	fin-iranno

Fate notare alla classe che l'indicativo futuro semplice si usa per parlare di un'azione futura, di qualcosa che deve ancora avvenire rispetto al tempo in cui si parla o si scrive.
Leggete insieme l'esempio per l'attività e chiedete agli studenti di svolgerla singolarmente. Procedete poi alla correzione orale.
Soluzioni: 1. piacerà, 2. scriverò, 3. metterà, 4. finirete, 5. diventerò

7 Spiegate alla classe che anche il futuro può presentare delle forme irregolari; leggete la tabella e completatela insieme.
Soluzioni: saremo, avrete, faranno

B Quando usiamo futuro

1 Scrivete alla lavagna i possibili usi del futuro cui avete accennato per l'attività A6:
1) Fare progetti
2) Fare previsioni
3) Fare ipotesi
4) Fare promesse
5) Periodo ipotetico
Osservate quindi i disegni e le frasi che li accompagnano; per ciascuna figura sollecitate l'individuazione del tipo di uso del futuro tra quelli scritti alla lavagna. Procedete poi alla lettura della tabella e verificate le precedenti ipotesi alla luce di quanto appena letto.
Soluzioni: 1. c, 2. d, 3. e, 4. b, 5. a
Fate notare che, soprattutto nell'italiano parlato, il futuro viene spesso sostituito dal presente (presente *pro* futuro), quando la nozione di futuro è affidata ad altri elementi (soprattutto avverbi, ma non solo) e non più al verbo.
Esempio:
Domani entro (= entrerò) a scuola alla seconda ora.
Per le vacanze di Natale vado (= andrò) a Venezia con la mia famiglia.

2 Osservate con la classe le immagini di questa attività e sollecitatene una descrizione da parte degli studenti. Chiedete agli studenti di lavorare in coppia, di scegliere cinque situazioni tra quelle proposte e costruire, con l'aiuto delle parole date, alcune frasi esercitando gli usi del futuro precedentemente analizzati: previsioni, ipotesi, progetti, promesse, periodo ipotetico. Al termine, fate discutere con il resto della classe quanto prodotto dalle singole

coppie. Esempio: *A Milano, tra qualche anno, a causa del traffico troppo intenso, sarà necessario andare in giro sempre con delle mascherine antismog.*

3 Chiedete agli studenti di confrontarsi nel gruppo classe discutendo sui tempi in cui si verificheranno le ipotesi o si realizzeranno i progetti formulati nel corso dell'attività precedente. Chiedete di spiegare anche il perché delle loro previsioni temporali, usando possibilmente il tempo futuro. Esempio: *Le mascherine antismog saranno necessarie tra pochi anni perché il traffico peggiorerà sempre più.*

Seconda parte

A Saremo tutti delle stelle!

1 Riprendete il significato dell'aggettivo *extra-curricolare* (= *che non è previsto nel programma scolastico*, qui sinonimo di extrascolastico) e, osservando le vignette risalite sommariamente al loro contenuto: i ragazzi stanno discutendo dei progetti extracurricolari, in particolare di un concorso musicale. A questo proposito, uno dei ragazzi pronuncia la frase: "Saremo tutti delle stelle": che cosa significa "essere una stella"? Fate delle ipotesi e indovinate con la classe chi e perché pronuncia questa frase. Nel dialogo viene usata la parola oroscopo; spiegatene brevemente il significato.

2/3 Ora chiudete i libri, ascoltate il dialogo e raccontate cosa succede.
Procedete a un riascolto e rispondete alle domande.
Risposte: 1. Giulia suona la chitarra, Alessia la batteria, Chiara il basso; 2. Dino; 3. I meno convinti sono Alessia e Paolo; 4. risposta libera

4 In coppia gli studenti scelgono due delle espressioni del dialogo sottolineate in blu e le utilizzano per costruire alcune frasi. Ciò fatto confrontano la loro produzione con il resto della classe.

Attività di rinforzo

In piccoli gruppi. Al termine della precedente attività l'insegnante consegna ai gruppetti di studenti (4/5 per gruppo) alcune batterie di frasi scritte su cartoncini; chiede quindi agli studenti di combinarle adeguatamente usando come connettivi testuali le espressioni già esercitate, anch'esse scritte su altrettanti cartoncini. Esempio:

Frasi:
- Facciamo un viaggio a Roma?
- Per questo ho detto Roma e non Shangai
- Con tutti quei monumenti, le piazze, il Colosseo!
- Non saprei, le mie vacanze sono di due giorni
- Potrebbe essere molto interessante

Connettivi testuali:
dai, mah, tutto qui, voglio dire, appunto

Possibile combinazione:
1) Facciamo un viaggio a Roma?
2) *Dai*, potrebbe essere molto interessante
3) *Voglio dire*, con tutti quei monumenti, le piazze, il Colosseo!
4) *Mah*, non saprei, le mie vacanze sono di due giorni, tutto qui.
5) Appunto, per questo ho detto Roma e non Shangai!

Batterie di frasi da combinare con i connettivi dati:

Partecipiamo alla gara di ballo?	Sarà un'esperienza eccezionale, ma dobbiamo prepararci.
Non abbiamo mai fatto una gara; proviamo questa sera?	Non so, domani ho il test di matematica…
Così ti puoi distrarre!	

Perché non usciamo a cena questa sera?	Potremmo provare la nuova pizzeria napoletana, ma occorre telefonare.
È sempre piena e dobbiamo prenotare.	Non so se ci sarà posto, oggi è sabato!

Ho due biglietti per il concerto di Ligabue di sabato.	Perché non vieni con me?
Non posso.	Mi piacerebbe molto, ma devo studiare.
Trova un'altra scusa! Tu non hai mai studiato!	Prima o poi dovrò cominciare!

Devo fare ancora tre esercizi di grammatica.	Mi aiuti?
Faremo in un attimo.	Sei sicuro?
Sono il genio della grammatica, no?	Per questo ho chiesto a te!

5 Portate all'attenzione degli studenti l'espressione *sarà finito* e spiegate loro che si tratta di un'altra forma di futuro, il futuro composto (o futuro anteriore). Anche se il suo uso nell'italiano di oggi è piuttosto limitato, occorre precisare che si tratta della forma usata correttamente per indicare un'azione che si svolgerà nel futuro prima di un'altra, sempre futura. *Esempio: Quando Dino **avrà finito** di studiare, **andrà** a casa di Paolo.*
Leggete la tabella del futuro composto e osservate con la classe che il futuro composto si forma con il participio passato del verbo che esprime l'azione e il suo ausiliare (*essere* o *avere*) coniugato al futuro semplice.

INDICATIVO FUTURO COMPOSTO		
	I coniugazione **amare**	II coniugazione **temere**
io	avrò amato	avrò temuto
tu	avrai amato	avrai temuto
lui/lei/Lei	avrà amato	avrà temuto
noi	avremo amato	avremo temuto
voi	avrete amato	avrete temuto
loro	avranno amato	avrete temuto

III coniugazione **finire**			
io	avrò finito	noi	avremo finito
tu	avrai finito	voi	avrete finito
lui/lei/Lei	avrà finito	loro	avranno finito

6 Chiedete agli studenti di lavorare in coppia per abbinare le domande alle risposte formulate come nell'esempio.
Soluzioni: 1. b: dopo che sarà finito l'inverno, 2. e: dopo che avrà visto la partita, 3. d: dopo che avremo vinto il concorso, 4. c: sì, appena avrò raccolto un po' di soldi, 5. a: sì, se venerdì avrò preso un buon voto

B L'oroscopo

1 Riprendete con la classe il significato della parola *oroscopo*.
Oroscopo significa predizione del futuro di una persona basata sulla posizione delle stelle al momento della sua nascita; l'etimologia è dal latino tardo *horóscopum* = che osserva l'ora (della nascita). Dino crede nell'oroscopo; chiedete agli studenti di discutere le proprie personali opinioni in merito a oroscopi e astrologia.

2 Dividete gli studenti a coppie e chiedete loro di abbinare alle immagini i nomi italiani dei segni zodiacali.

3 Chiedete agli studenti di ascoltare l'oroscopo per sei segni zodiacali, prendere appunti e riferire brevemente alla classe se quanto ascoltato si riferisce a previsioni positive o negative.

4 Procedete al riascolto e chiedete agli studenti di completare le frasi con quanto riescono a cogliere ascoltando.
Soluzioni: 1. non durerà molto, 2. avverarsi un sogno, 3. quello che dici, 4. essere tanto distratto, 5. del tutto positive, 6. da te dipende sfruttarle
Se il tempo a vostra disposizione lo consente, potete soffermarvi a riflettere sulle espressioni *fare attenzione a* e *dipendere da* illustrandole attraverso alcuni esempi:
Nel tuo testo ci sono troppi errori: *fai attenzione a* quello che scrivi.
La tua promozione *dipende da te*.

C Che carattere!

1/2 Se il livello della classe lo consente, affidate la prima lettura agli studenti; in caso contrario procedete a una lettura preliminare nella

quale spiegherete il lessico meno frequente prima che gli studenti si cimentino autonomamente con il testo.

Chiedete agli studenti di lavorare in coppia, leggere le descrizioni dei segni zodiacali abbinate ai personaggi e individuare quella che sembra più rispondente al loro carattere. Fate poi discutere le scelte operate con la classe. Con l'aiuto degli studenti individuate le tre descrizioni più scelte, trascrivetele alla lavagna ed eventualmente spiegate le parole ancora poco chiare.

Fate abbinare le descrizioni con i rispettivi segni zodiacali riportati nel box in fondo alla pagina sulla destra. Contate poi quanti tra gli studenti hanno scelto la descrizione effettivamente corrispondente al proprio segno zodiacale.

3 Role play

Distribuite un numero a ciascuno dei vostri studenti e abbinateli estraendo i numeri a sorte. Gli studenti della coppia di volta in volta sorteggiata dovranno costruire e recitare un minidialogo parlando del proprio carattere e delle effettive rispondenze con quanto letto nell'attività C1. Condizioni essenziali del gioco: sincerità e uso delle espressioni indicate per chiedere/dare conferma, secondo l'esempio.

Gioco

PROGETTO ... OROSCOPO!
Dividete la classe in gruppo di 4/5 studenti e proponete il gioco: si tratta di elaborare un testo di 50/60 parole con l'oroscopo "progettato" per l'insegnante, in un tempo massimo di 20 minuti. Regole essenziali:
1) predire solo eventi positivi;
2) usare il futuro semplice e il futuro composto.
Leggete gli oroscopi a tutta la classe e votate quello più apprezzato.

 ## Abilità

1 Ascoltate il brano n. 5 e svolgete l'attività 4 a pagina 98 del Quaderno degli esercizi.

2 Osservate e descrivete l'immagine; poi leggete le domande dell'attività relative al contenuto di questa unità e chiedete agli studenti di rispondere e discutere tra loro le risposte dialogando liberamente.

3 Discutete con la classe la traccia data per la produzione scritta e chiedete loro di comporre un testo adeguato della lunghezza di 60-80 parole.

Progetti extracurricolari

Osservate le immagini e fatele abbinare ai progetti extracurricolari descritti in questa pagina.
Leggete il testo e commentatelo con la classe. Chiedete agli studenti di discutere su quelli che pensano possano essere gli obiettivi generali delle attività extracurricolari e quali quelli specifici di ognuna di esse.

Attività di rinforzo in piccolo gruppo

Se i tempi della vostra programmazione lo consentono, visitate il sito internet di qualche scuola italiana e scaricatene il POF; semplificatelo se necessario e datene una copia a ciascun gruppo di studenti, chiedendo di procedere all'individuazione dei progetti extrascolastici, dei contenuti, dei destinatari del progetto, degli obiettivi, della tempistica e, se possibile, della materia dell'insegnante responsabile.

Esempio di tabella (simile a quella del libro con l'aggiunta degli obiettivi):

Nome del progetto	Contenuti	Obiettivi	Destinatari	Tempistica	Insegnante responsabile
Educazione stradale	Conoscenza dei principi fondamentali del Codice Stradale	• Favorire il rispetto delle regole della strada • Discutere sui cattivi comportamenti di autisti e pedoni • eccetera	Tutte le classi	6 ore per classe a partire dal secondo quadrimestre	Insegnante di Tecnologia
Danni solari	Conoscenza dei principali danni derivati da cattiva esposizione al sole	Acquisire un atteggiamento corretto nei confronti della cura del proprio corpo in generale e, in particolare, della pelle.	Classi II e III	6 ore per classe suddivise in tre incontri di due ore ciascuno ...	Insegnante di Scienze

L'astrologia

Leggete il testo in classe e spiegate eventuali parole sconosciute.

1 Proponete agli studenti di approfondire il lavoro servendosi del materiale e degli spunti presentati sul sito.

2 Progettiamo

Proponete agli studenti di scegliere tra la prima e la seconda attività presentate di seguito, lavorando in gruppi di 3/4 studenti.

Proposta 1

I gruppi che scelgono questa proposta faranno un'indagine in classi diverse cercando di scoprire quanti compagni consultino e diano importanza all'oroscopo. Divideranno i dati per età e sesso e cercheranno, confrontandosi alla fine con gli altri gruppi, di giungere a una statistica di istituto in materia di … astrologia.

Domande per l'indagine

1) Quante volte consulti l'oroscopo in un mese?
   a) nessuna
   b) 1-2
   c) 3-5

2) In una scala da 1 a 3 che valore dai a quello che leggi nell'oroscopo?
   a) 1, poco
   b) 2, abbastanza
   c) 3, molto

3) Nell'oroscopo cerchi informazioni su:
   a) salute
   b) amore
   c) soldi

4) Leggi l'oroscopo prima di un avvenimento per te importante?
   a) Sì
   b) No

5) Consigli di leggere l'oroscopo ai tuoi amici?
   a) Sì
   b) No

Età ……………   Sesso ……………

Proposta 2

Chiedete agli studenti di formare piccoli gruppi e di elaborare almeno tre progetti extracurricolari, eventualmente utilizzando come spunto la tabella presentata nella precedente attività di rinforzo. Fate poi esporre i progetti ideati davanti alla classe e lasciate il tempo necessario perché vengano discussi da tutto il gruppo.

Elementi comunicativi e lessicali

- Esprimere e giustificare un proprio parere
- Esprimere accordo
- Esprimere disaccordo
- Lessico legato alle trasmissioni televisive
- Raccontare al passato

Elementi grammaticali

- Indicativo imperfetto delle tre coniugazioni (-are, -ere, -ire)
- Indicativo imperfetto di alcuni verbi irregolari
- Indicativo trapassato prossimo

- Gli usi dell'imperfetto
- Gli usi del trapassato prossimo
- Relazioni temporali tra imperfetto, passato prossimo e imperfetto

Civiltà

- La televisione in Italia
- I ragazzi italiani e la TV

Materiale necessario

Seconda parte, attività C1: una fotocopia di pagina 19 per ciascuno studente

Per cominciare...

1 Osservate con la classe le immagini riportate dal libro e discutetene insieme. Scrivete alla lavagna i nomi dei programmi e osservate che alcuni di essi, pur essendo parole straniere, sono ormai entrati a fare parte del linguaggio comune anche in Italia. Aggiungete alla lavagna e spiegate altri due o tre nomi di programmi ricorrenti, ad esempio:

fiction: genere racconto, anche televisivo, basato sulla pura invenzione;

telenovela: molto simile alla soap opera, è un genere che ha iniziato la sua fortuna in America Latina;

talk show: programma di tipo giornalistico nel quale il conduttore, un giornalista appunto, pone domande ai suoi ospiti, generalmente rappresentanti di un particolare settore della vita pubblica;

documentario: filmato realizzato per informare i telespettatori su argomenti come arte, natura, storia ma anche attualità;

telegiornale: trasmissione televisiva quotidiana per la diffusione delle notizie più rilevanti del giorno.

Questo elenco non è esaustivo come non lo sarà la vostra presentazione; serve semplice-

mente per allargare un po' l'orizzonte della discussione. Se lo ritenete più opportuno, prima di dare voi una spiegazione dei termini proposti alla lavagna, chiedete agli studenti di esprimersi in proposito.

Potete aggiungere che la programmazione segue delle fasce orarie ben definite (pomeriggio, prima e seconda serata eccetera) e che per alcune trasmissioni (soprattutto i film) vengono fornite indicazioni circa l'età minima consigliata degli spettatori; attraverso l'uso di simboli colorati le emittenti televisive segnalano infatti se un film è per tutti (verde), se la visione da parte dei bambini deve essere sotto il controllo di un adulto (giallo) se la visione è assolutamente sconsigliata a un pubblico non adulto (rosso).

2 Chiedete ora ai vostri studenti di esprimere le proprie preferenze in merito alle trasmissioni televisive e di discuterne con tutta la classe.

3 Dopo aver ascoltato solo le risposte di Paolo, gli studenti ipotizzano il contenuto del dialogo. Può darsi che dalle sole risposte capiscano che Paolo stia parlando di un concorso musicale/canoro trasmesso in TV e non di un tele-

film: verificate l'esattezza delle ipotesi formulate ascoltando il dialogo per intero.

4 Chiedete agli studenti di focalizzare l'attenzione su tutte le battute del dialogo e di verifica-

re quali informazioni tra quelle elencate siano veramente presenti; se è necessario procedete a un riascolto.
Informazioni effettivamente contenute: 1, 3, 4.

Prima parte

A Un telefilm

1 Che cos'è un **telefilm**? Si tratta di un film di breve durata che viene trasmesso in episodi e che è stato girato espressamente per la TV. La parola *telefilm* è un'altra di quelle parole derivate di cui si è parlato nell'Unità 1 (a proposito dell'aggettivo *extrascolastici*) ed è composta da *tele-* (abbreviazione di un'altra parola derivata, che è televisione) + *film* = *film per la televisione*. Osservate con la classe le vignette e descrivetele brevemente. Poi chiedete agli studenti di lavorare in coppia per inserire le parti mancanti del dialogo date a parte; procedete a una verifica leggendo il dialogo alla classe; potete "sfruttare" questa lettura per enfatizzare con la voce i verbi all'imperfetto che saranno i protagonisti della successiva attività.

2 Chiedete agli studenti di ritrovare nel testo verbi simili per forma a quello indicato: "sapevo"; sono: *avevo, vedevo, era, suonava, aveva, cantavano, preferiva*.
Procedete a una verifica e, se il livello della classe lo consente, avviate un confronto sulla struttura e sul significato di questa forma verbale.

3 Chiedete agli studenti di lavorare in coppia e riutilizzare alcune delle parole del dialogo sottolineate in blu per completare le frasi di questa attività.
Soluzione: 1. davvero, 2. peccato, 3. meno male
Se avete più tempo a disposizione, chiedete agli studenti di provare a inventare alcune frasi riutilizzando queste espressioni. Procedete a una verifica leggendo le soluzioni a tutta la classe.

4 Osservate e commentate con la classe l'immagine: ritrae alcuni ragazzi ai provini di una trasmissione televisiva italiana che scopre giovani talenti musicali. Molti giovani italiani partecipano a provini per trasmissioni televisive le-

gate al mondo dello spettacolo e in particolare della musica e del canto o per avere un ruolo, anche secondario, nei musical che di tanto in tanto vengono realizzati in Italia.
Leggete le domande e chiedete agli studenti di rispondere per iscritto. Procedete poi a una verifica ascoltando risposte di volontari e scrivendo alla lavagna le risposte corrette.
Risposte: 1. Paolo non ha visto "Cantare" perché aveva una partita di calcio, 2. Perché riusciva a vedere solo la fine, 3. Il gruppo non ha vinto il concorso perché Mario mentre cantava ha dimenticato le parole della canzone, 4. Paolo è contento di non aver visto l'ultima puntata perché secondo lui il finale non è credibile

5 Chiedete di completare il dialogo e leggetelo per verificare la correttezza dei completamenti.
Risposte: 1. era, 2. sapevo, 3. ricominciava, 4. cantavano, 5. dovevano, 6. capivo

6 Osservate attentamente la tabella con le voci mancanti e chiedete agli studenti di completarla (potete eventualmente copiarla alla lavagna per renderla più evidente); se vi sembra opportuno, recuperate l'imperfetto di *essere* e *avere* (anche qui, magari scrivendoli alla lavagna) facendovi aiutare dagli studenti.

IMPERFETTO INDICATIVO		
	ESSERE	**AVERE**
io	ero	avevo
tu	eri	avevi
lui/lei/Lei	era	aveva
noi	eravamo	avevamo
voi	eravate	avevate
loro	erano	avevano

Riprendete ora il discorso sull'imperfetto cui avete già accennato illustrando l'attività A2.

L'indicativo imperfetto indica un'azione passata che ha avuto una certa durata e continuità; si usa quindi nei seguenti casi:

- descrivere al passato = *Non avevo molti amici perché abitavo lontano da scuola*;
- parlare al passato di azioni ripetitive e/o abituali = *Da piccolo Dino andava ogni estate al mare con i nonni*;
- per indicare contemporaneità tra due azioni passate che abbiano avuto la stessa durata = *Mentre studiava, Paolo ascoltava il nuovo cd di Ligabue*.

Spiegate il meccanismo attraverso il quale si formano le voci dell'imperfetto indicativo in italiano: per ottenere l'imperfetto dei verbi regolari italiani si utilizza il tema dell'infinito privato della desinenza e si aggiungono le desinenze proprie dell'imperfetto, come nella seguente tabella:

IMPERFETTO INDICATIVO			
	AM-ARE	**LEGG-ERE**	**SENT-IRE**
io	am-avo	legg-evo	sent-ivo
tu	am-avi	legg-evi	sent-ivi
lui/lei/Lei	am-ava	legg-eva	sent-iva
noi	am-avamo	legg-evamo	sent-ivamo
voi	am-avate	legg-evate	sent-ivate
loro	am-avano	legg-evano	sent-ivano

7 Osservate e descrivete le immagini soffermando l'attenzione su luoghi, oggetti e attività. Esercitate l'uso dell'imperfetto attraverso questa attività, chiedendo agli studenti di riformulare le frasi relative alle immagini seguendo il modello.
Soluzioni: 1. venivano, portavano, 2. andavi, 3. andavo, 4. preparava, navigavo, 5. volevamo, 6. puliva

8 Riprendendo il discorso sulla formazione delle voci dell'imperfetto, segnalate che anche per questo tempo esistono dei verbi che prevedono delle eccezioni alla regola illustrata nella tabella precedente; si tratta per lo più di verbi con una radice che deriva da una forma più antica, ormai in disuso nell'italiano corrente, che riappare qua e là nella coniugazione: fare (*facere*), dire (*dicere*) e altri. Chiedete agli studenti di abbinare gli imperfetti con i loro infiniti elencati a destra della pagina.
Soluzione: traduceva = *tradurre*, ero = *essere*, diceva = *dire*, faceva = *fare*, bevevo = *bere*

B D'accordo?

1 Osservate e descrivete le immagini poi proponete l'ascolto dei minidialoghi e chiedete agli studenti di abbinarli alle immagini.
Soluzioni: 1 (coppia), 4 (Rete 4), 2 (pallacanestro), 3 (cellulare), 5 (Gassman), 6 (dormire)

2 Prima di procedere al riascolto sollecitate l'attenzione degli studenti sui modi per esprimere accordo o disaccordo in una conversazione. Potete disegnare alla lavagna una tabella simile a quella del libro e, con l'aiuto degli studenti, inserire opportunamente le espressioni eventualmente già note o quelle appena ascoltate. Procedete poi a individuare attraverso il riascolto quali persone stanno esprimendo accordo e quali disaccordo.
Soluzione: 1. d'accordo, 2. non d'accordo, 3. d'accordo, 4. d'accordo, 5. non d'accordo, 6. non d'accordo

3 Proponete ora questo elenco di espressioni utili per esprimere accordo/disaccordo e chiedete agli studenti di sottolineare quelle effettivamente ascoltate.
Soluzione: sono d'accordo; sì, credo anch'io; hai ragione; non sono d'accordo; non penso; non è vero

4 Role play

A coppie gli studenti creano dei minidialoghi ispirati alle situazioni proposte; è importante che entrambi gli studenti rivestano sia il ruolo di A sia il ruolo di B per esercitare le due diverse competenze obiettivo di questa attività (esprimere e giustificare un proprio parere / esprimere accordo o disaccordo con quanto ascoltato da un'altra persona).

5 Sollecitate tra i vostri studenti un confronto sugli usi di *imperfetto* e *passato prossimo*; utilizzate a questo scopo alcune frasi esemplificative, come nelle tabelle che seguono.

PASSATO PROSSIMO	IMPERFETTO
Azione compiuta una sola volta, non abituale: Ieri a scuola abbiamo parlato di Cesare e Cleopatra.	**Azione abituale:** A scuola parlavamo sempre tra di noi.

PASSATO PROSSIMO	IMPERFETTO
Azione puntuale, non reiterata: A casa di Dino ho mangiato troppo (= quella volta da Dino ho mangiato troppo).	**Azione reiterata:** A casa di Dino mangiavo troppo (= tutte le volte che andavo da Dino mangiavo troppo).
Azione con durata limitata: Ieri pomeriggio ho dormito (un po').	**Azione durativa, che ha avuto una certa durata:** Ieri pomeriggio dormivo.

Fate anche notare che quando nella stessa frase si trovano due azioni avvenute contemporaneamente nel passato, si danno allora tre possibili combinazioni di tempi verbali:
- **imperfetto + imperfetto,** se le due azioni hanno la stessa durata:
> *Mentre la professoressa spiegava,*
> *Dino ascoltava la musica.*
- **imperfetto + passato prossimo,** se abbiamo un'azione durativa e una puntuale:
> *Mentre Dino ascoltava la musica,*
> *la professoressa lo ha chiamato.*
- **passato prossimo + passato prossimo,** se entrambe le azioni sono momentanee o puntuali:
> *La professoressa ha chiamato Dino*
> *e lui ha spento l'i-pod.*

6 Osservate attentamente anche la tabella del libro e chiedete agli studenti di ispirarsi ad essa per ricostruire le frasi date in questa attività.
Soluzioni: 1. Mentre aspettavo l'autobus, ho visto un amico; 2. Mentre studiavo italiano, ascoltavo la musica; 3. Ieri sera alle 8 Gianna era a casa; 4. Sofia ha guardato la tv fino a mezzanotte; 5. Quando Luca ha telefonato, dormivo ancora

Ora chiedete ai ragazzi di spiegare il perché delle combinazioni e delle scelte dei tempi verbali rifacendosi a quanto appena appreso.

Attività di rinforzo

Dividete la classe in gruppi di 4/5 studenti e for-

nite a ciascun gruppo un set di frasi con i verbi all'infinito, connettivi e indicazioni temporali.

Situazioni/azioni	
1	Fare la doccia – finire l'acqua – essere coperto/a di sapone – avere lo shampoo sui capelli – cercare disperatamente una soluzione – tornare l'acqua ma solo fredda – finire la doccia – avere il raffreddore!
2	Andare a scuola – essere in ritardo – fare una corsa – cadere – rompere la giacca – togliere la giacca – avere molto freddo – tornare a casa a prendere un'altra giacca – arrivare a scuola un'ora dopo!
3	Dormire con la finestra aperta – iniziare a piovere – sentire rumore – nel sonno non capire cosa fosse – aprire gli occhi – vedere tanta acqua sul pavimento – chiudere la finestra – ricominciare a dormire – avere troppo sonno
Connettivi e indicazioni di tempo	
1	l'altra sera – ieri – il giorno dopo – mentre – quando – ieri mattina – subito – improvvisamente – dopo – quindi – ma – immediatamente
2	l'altra sera – ieri – il giorno dopo – mentre – quando – ieri mattina – subito – improvvisamente – dopo – quindi – ma – immediatamente
3	l'altra sera – ieri – il giorno dopo – mentre – quando – ieri mattina – subito – improvvisamente – dopo – quindi – ma – immediatamente

Se lo ritenete necessario, leggete preliminarmente le parole date per chiarire eventuali dubbi lessicali. Chiedete quindi di realizzare una breve storia utilizzando imperfetto e passato prossimo e le loro combinazioni. Potete fornire agli studenti di volta in volta lo stesso materiale e verificare con la lettura alla classe le differenze nella costruzione delle storielle.

Seconda parte

 A **Non ci avevo pensato!**

1/2 Osservate le vignette con la classe e chiedete anche di ipotizzare il contenuto del dialogo: di cosa stanno parlando i ragazzi? Perché Alessia considera Dino fondamentale per il concorso? Discutete e poi leggete il dialogo.
Ora ascoltate il dialogo e verificate le ipotesi avanzate; infine procedete a un riascolto e indicate quali tra le affermazioni sul libro sono corrette.
Soluzione: 1. a, 2. b, 3. c, 4. b

3 Sollecitate l'attenzione dei vostri studenti sulle seguenti espressioni nelle quali compaiono verbi coniugati al tempo trapassato prossimo:
"*Non ci avevo pensato*" – "*Avevo deciso di…*"
Prima di procedere all'analisi della tabella, discutete con la classe sui possibili usi di questo tempo verbale. Raccogliete le ipotesi e, se possibile, magari anche qualche frase di esempio, riportandola alla lavagna; proponete adesso una lettura guidata della tabella.

TRAPASSATO PROSSIMO		
	MANGI-ARE	**STARE**
io	avevo mangiato	ero stato/a
tu	avevi mangiato	eri stato/a
lui/lei/Lei	aveva mangiato	era stato/a
noi	avevamo mangiato	eravamo stati/e
voi	avevate mangiato	eravate stati/e
loro	avevano mangiato	erano stati/e

Il trapassato prossimo si forma utilizzando il participio passato del verbo in uso e gli ausiliari *essere* o *avere* coniugati all'imperfetto:
Il trapassato prossimo viene utilizzato per un'azione avvenuta nel passato prima di un'altra sempre passata che viene espressa attraverso l'imperfetto o il passato prossimo: indica, cioè, un rapporto di anteriorità nel passato.
Copiate le frasi del libro alla lavagna e mostrate con questi esempi quanto appena spiegato.

4 Rinforzate la teoria attraverso questa attività chiedendo di completare le frasi con le opportune combinazioni di parole; leggete le frasi corrette come verifica.

Soluzione: 1. Era già partito, 2. Avevo fatto colazione, 3. Avevano dimenticato le chiavi, 4. Era già finito, 5. Avevano (già) visto il film

B **Un salto nella storia**

1 Se è necessario, spiegate brevemente agli studenti chi sono Cesare e Cleopatra.
Cleopatra (69-39 a.C.) fu l'ultima regina d'Egitto, divenuto poi provincia dell'impero romano. La sua figura e i suoi rapporti con gli uomini più importanti della Roma antica (Cleopatra e Cesare furono amanti ed ebbero un figlio) favorirono la nascita di una leggenda intorno a lei che ha ispirato scrittori di tutti i tempi, registi e artisti.
Cesare (Gaio Giulio Cesare, 100-44 a.C.) è uno dei personaggi più importanti della storia. Fu un grande generale (egli stesso ha descritto alcune delle sue campagne militari in opere di carattere storico-letterario) e rivestì la carica di *dictator* di Roma, proclamandosi dal 44 a.C. dittatore "a vita". Durante il suo governo furono gettate le basi per il passaggio dalla repubblica all'impero.
Chiedete quali oggetti Cesare e Cleopatra non abbiano mai visto. Potete anche chiedere agli studenti di specificarne gli usi nella vita quotidiana.

2/3 Che cosa fanno Cesare e Cleopatra in questa vignetta? Parlatene; poi ascoltate il dialogo cercando di capire di cosa stanno parlando. Procedete quindi a un riascolto e indicate se le affermazioni proposte sono vere o false.
Soluzione: 1. F, 2. V, 3. V, 4. F, 5. V, 6. F

4 Osservate l'immagine con le programmazioni televisive e illustratene sommariamente il contenuto, discutendo con la classe le varie tipologie di trasmissione.

Role play

In coppia gli studenti cercano di abbinare i programmi televisivi rappresentati nelle vignette al loro orario e canale di trasmissione.

5 Ora chiedete agli studenti di lavorare singolarmente; sceglieranno una delle attività e si proporranno come presentatori/presentatrici dando indicazioni di orario e canale delle trasmissioni prescelte, oppure come critici televisivi, offrendo brevi commenti sui programmi.

C Vocabolario e abilità

1 Formate di nuovo coppie di studenti e chiedete di completare l'attività con le parole date.
Soluzione: 1. puntata, 2. antenna parabolica, 3. telecomando, 4. televisore, 5. canale
Chiedete anche di riutilizzare le parole date per inventare delle frasi che verranno poi lette a tutta la classe.

GIOCHIAMO CON LE PAROLE

Consegnate a ciascuno studente una fotocopia di pagina 19 e spiegate l'attività. Cleopatra, che abbiamo già conosciuto, ha scritto una lettera a sua cugina in Egitto per illustrarle le meraviglie della TV, ma ha fatto un po' di confusione, dimenticando qualche parola qua e là. Chiedete agli studenti di risolvere il cruciverba e di rimettere in ordine le parole del testo: 10 sesterzi (antica moneta romana) per ogni parola al posto giusto!
Soluzione cruciverba: *orizzontali*: 1. partita, 4. telefilm, 6. puntata, 7. antenna parabolica; *verticali*: 2. tv, 3. telecomando, 5. canali;
Soluzione lettera: 1. tv, 2. antenna parabolica, 3. telecomando, 4. telefilm, 5. partita, 6. puntata, 7. canali

2/3 Prima di procedere con l'ascolto delle interviste a tre ragazzi italiani ipotizzate quali siano le loro preferenze in ambito di programmi TV. Procedete poi con l'ascolto e completate la tabella.

Intervistato	Ore passate davanti alla tv	Giudizio sulla tv italiana	Cosa ti piace	Cosa non ti piace
1 (ragazza)	*2-3 ore*	buono, ma ci sono troppe pubblicità	Telefilm e cartoni animati	*Film vecchi e documentari*
2 (ragazzo)	*2-3 ore*	*molto buono*	Sport e cartoni animati	*Un programma di Rete 4*
3 (ragazza)	*1*	*alcuni programmi non sono buoni*	*Reality show e sport*	Alcuni programmi musicali e alcuni cartoni animati

4 Osservate le vignette con la classe e discutete sul loro contenuto. Chiedete a ogni studente di utilizzare l'imperfetto e il passato prossimo per raccontare la storia disegnata (circa 60 parole). Leggete le storielle in classe e scegliete, con tutti gli studenti, i tre racconti più originali.

Conosciamo l'ITALIA

La Televisione in Italia

Leggete il testo di pagina 32 e commentatelo con la classe; anche le immagini sono rappresentative del mondo della TV italiana: parlatene.

Intelligenti o... teledipendenti?

1 Proponete il test alla classe e leggete insieme i risultati. Come rappresentato nella fotografia, molti ragazzi italiani hanno un televisore nella loro stanza (oltre ad altri apparecchi distribuiti nel resto della casa). Cosa ne pensano i vostri studenti? Anche per loro è così? Discutetene.

3 Progettiamo

Leggete insieme le alternative di svolgimento di questa attività e lasciate libera scelta agli studenti, riuniti in gruppi, per la realizzazione.

Seconda parte, Attività C1

GIOCHIAMO CON LE PAROLE

Definizioni:

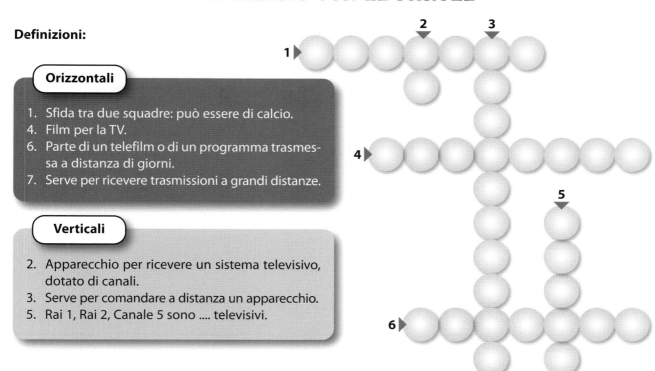

Orizzontali

1. Sfida tra due squadre: può essere di calcio.
4. Film per la TV.
6. Parte di un telefilm o di un programma trasmessa a distanza di giorni.
7. Serve per ricevere trasmissioni a grandi distanze.

Verticali

2. Apparecchio per ricevere un sistema televisivo, dotato di canali.
3. Serve per comandare a distanza un apparecchio.
5. Rai 1, Rai 2, Canale 5 sono .... televisivi.

Ciao Isi, qui tutto ok! La 1)... è fantastica! Qualche giorno fa abbiamo fatto mettere un' 2)... sul tetto e riesco perfino a ricevere Telegallia. L'unico problema è che Giulio ha sempre il 3)... in mano! A me piacerebbe vedere qualche bel 4)... mentre lui non si perde neanche una 5)... di calcio, soprattutto se gioca la Roma! Mi dice sempre: "Mo (adesso) finisce, mo finisce" ma poi non finisce mai e io non riesco a guardare nemmeno dieci minuti di una 6)...! Però, quando si addormenta, gli sfilo piano piano il telecomando dalla mano e cerco finalmente i miei 7)... preferiti. Adesso ti lascio perché sento Giulio russare. È il mio momento: questa sera danno un film con George Clooney, non lo voglio perdere!

Elementi comunicativi e lessicali
- Gli strumenti musicali: lessico
- Utilizzare locuzioni appropriate per rispondere in modo affermativo o negativo
- Esprimere gioia
- Esprimere rammarico
- Parlare di ambiente ed ecologia

Elementi grammaticali
- I pronomi diretti con i tempi semplici
- I pronomi diretti con i tempi composti
- Il pronome partitivo *ne*

Civiltà
- Gli italiani e la protezione dell'ambiente
- I ragazzi italiani e l'impegno ecologico

Materiale necessario
- Prima parte, A5/A6: una fotocopia per ogni studente della scheda a pagina 26
- Prima parte, A7 e A8: una fotocopia per ogni studente della scheda a pagina 27

Per cominciare...

1 Osservate le fotografie con la classe e chiedete agli studenti di lavorare in coppia per creare degli abbinamenti e dare una spiegazione sulle scelte effettuate. Si tratta, come vedete, di immagini che fanno riferimento a parole omonime o polisemiche, che hanno cioè più significati, chiaramente desumibili solo dal contesto nel quale vengono di volta in volta inserite. Ad esempio, in una frase come "Il musicista suonava eccellentemente il *basso*" si desume inequivocabilmente che l'orchestrale suonava lo *strumento* che *esegue la parte più grave dell'armonia* (il basso, appunto) e non un *uomo dall'altezza non elevata*.

2 Chiedete agli studenti quali altri strumenti musicali conoscano e scrivete i nomi alla lavagna; chiedete inoltre di parlare delle eventuali attitudini musicali di ciascuno studente, degli strumenti eventualmente suonati.

3 Preannunciate l'ascolto del dialogo e riassumetene brevemente il contenuto: i ragazzi, in un fast food, discutono della prossima partecipazione al concorso musicale. Hanno deciso di partecipare e quindi vogliono iniziare a provare; si tratta di trovare un luogo adatto e Dino fa la sua proposta.
Ascoltate il dialogo e successivamente chiedete agli studenti di indicare le affermazioni esatte tra quelle proposte.
Soluzioni: 1. b, 2. c, 3. a, 4. b

Prima parte

A Le prove dove le facciamo?

1 Osservate le vignette e chiedete a qualche studente volontario di descrivere gli ambienti raffigurati.

Chiedete poi agli studenti di lavorare in coppia per ripensare al dialogo e completarlo con le parole mancanti.
Soluzione: canzoni, campagna, tastiera, regalata, strumento, portare, carriera.
Procedete al riascolto del dialogo per verifica-

re la correttezza dei completamenti.

2 Leggete le domande di questa attività alla classe e chiedete a ciascuno studente di rispondere.
Risposte: 1. Perché in questo modo non daranno fastidio a nessuno, 2. La tastiera è del padre di Dino, che la suonava da giovane, 3. Dino ha chiesto a suo padre di accompagnarli, 4. Che da questo concorso dipende la sua carriera di cantante

3 Fate osservare le espressioni scritte in blu nel dialogo e chiedete agli studenti, in coppia, di riutilizzarle per completare le frasi di questa attività.
Soluzioni: 1. portato per, 2. darà fastidio, 3. in mezzo a, 4. contare su
In fase di correzione, verificate che il significato delle espressioni utilizzate sia chiaro per tutti.

Attività di rinforzo

Prima fase: per potenziare la comprensione e l'utilizzo delle locuzioni, copiate alla lavagna la seguente tabella e chiedete agli studenti di combinare opportunamente gli elementi delle tre colonne per formare delle frasi.

		musica
		amici
		tutti
		calcio
Io	essere portato per	chitarra
Laura e Alice	dare fastidio a	mio padre
Elena	contare su	compagni di classe
Pietro		vicini di casa
		canto
		nessuno

Seconda fase: chiedete ora agli studenti, che continuano a lavorare in coppia, di scrivere, per ciascuna delle frasi composte, un completamento adatto. Esempio: *Laura e Alice sono portate per il canto e fanno parte del coro della scuola.*

4 Introducete questa attività chiedendo ai vostri studenti se utilizzano facebook o piattaforme simili; discutetene brevemente. Proponete poi

la lettura di questo testo e chiedete di completarlo con le forme date nel box, specificando che sono sovrabbondanti. Procedete alla verifica e spiegate eventuali parole/espressioni poco chiare.
Soluzione: le faremo, lo sappiamo, la dobbiamo, ci porterà, lo convincerò, la usa

5/6 Le espressioni usate per la precedente attività hanno una parte segnalata in blu; chiedete agli studenti di trovare i legami tra queste parti e i corrispondenti elementi del testo e fate ipotizzare la loro funzione. Lasciate che la classe discuta brevemente e poi svelate che si tratta di pronomi diretti, anche chiamati sostituenti, in quanto aventi la funzione di sostituire nel testo persone o cose precedentemente nominate. Leggete la tabella, completatela con i due pronomi mancanti e spiegate che i pronomi diretti svolgono nella frase la funzione di complemento oggetto. Riguardo alla loro posizione nella frase, sarà qui utile osservare solo che i pronomi diretti si collocano prima e staccati dal verbo quando è un indicativo (come anche congiuntivo e condizionale cui è prematuro accennare), dopo e uniti al verbo se è un infinito (e anche un imperativo o un gerundio, come si vedrà in seguito):

*Leggo il libro = **Lo** leggo*
ma
*Devo leggere il libro = Devo legger**lo***

Attività di rinforzo

Se i tempi di programmazione lo consentono, proponete in classe questa attività di rinforzo; in caso contrario, fatela svolgere a casa e procedete poi a una restituzione individuale o a una correzione di gruppo. Si tratta di un'attività molto semplice che consente però di familiarizzare con l'uso dei pronomi. Per lo svolgimento, consegnate a ciascuno studente una fotocopia di pagina 26.

7 Leggete l'esempio di questa attività, rileggete la tabella e chiedete agli studenti di rispondere alle domande poste secondo il modello.
Soluzioni: 1. Ti sento male, 2. Li vedrò io, 3. Le incontro oggi, 4. Ci accompagnano a casa alcuni amici, 5. Sì, lo conosco

Attività di rinforzo

Proponete agli studenti la fotocopia del testo di pagina 27 dove è riportata una risposta al

post di Dino, e chiedete loro di individuare tutti i pronomi che hanno la funzione di complemento oggetto e di spiegare quale elemento della frase sostituiscono.

8 Osservate le frasi modello di questa attività e proponete agli studenti di lavorare a coppie per rispondere alle domande con frasi simili e utilizzando gli elementi dati.
Soluzioni: 1. Lo saprò stasera; 2. No, non lo so; 3. Sì, lo sapevo; 4. No, non lo sapevo

Attività di rinforzo

Consegnate agli studenti una fotocopia dell'attività riportata a pagina 27; chiedete di lavorare singolarmente e di scegliere, in base al contesto, di dare la risposta affermativa (*sì, lo so*) o quella negativa (*no, non lo so*) alle domande date.
Soluzioni per l'attività di rinforzo: 1. Sì, lo so; 2. No, non lo sapevo; 3. Sì, lo so; 4. Non lo sapevamo; 5. Sì, lo sappiamo; 6. Non lo so; 7. No, non lo sappiamo; 8. No, non lo sapevo; 9. Sì, lo sapevo; 10. Sì, lo sappiamo

B Che bello!

1 Osservate e descrivete sulla classe le immagini dell'attività; ascoltate le frasi e chiedete agli studenti di abbinarle alle immagini.
Soluzione: 1. c, 2. e, 3. d, 4. g, 5. a, 6. f; *b* non c'è

2 Chiedete ora agli studenti di completare le tabelle con le espressioni che ricordano; come verifica, riascoltate i minidialoghi.
Soluzioni:
Esprimere gioia
Che bella giornata!
Che bello!
Che bella notizia!
Esprimere rammarico, disappunto
Che peccato!
Che rabbia!
Mannaggia!
Accidenti!

3 Role play

Chiedete agli studenti di lavorare in coppia per interpretare a turno il ruolo di A e B: dovranno annunciare quanto contenuto nelle indicazioni dell'attività e rispondere utilizzando le espressioni di gioia o rammarico precedentemente analizzate.

4 Chiedete agli studenti, sempre in coppia, di completare le frasi date esprimendo gioia, rammarico o disappunto.
Soluzioni: 1. Che bella idea!, 2. Che rabbia!, 3. Mannaggia!, 4. Che bella notizia!, 5. Accidenti

5 Brainstorming. Se il livello generale della classe lo consente, introducete questa attività attraverso un brainstorming sull'ambiente e l'ecologia. Potreste favorire l'avvio della riflessione disegnando due colonne sulla lavagna e mettendo da una parte le buone abitudine e dall'altra quelle cattive, a proposito di difesa/rispetto dell'ambiente; iniziate voi l'elenco dando un esempio:

RISPETTO E PROTEZIONE DELL'AMBIENTE	
BUONE ABITUDINI	**CATTIVE ABITUDINI**
Spegnere le luci nelle aule vuote	Usare sempre l'automobile
…	…
…	…
…	…

Osservate le immagini; con l'aiuto degli studenti, descrivetele sommariamente e discutetene: rappresentano abitudini, azioni e dispositivi utili per la salvaguardia dell'ambiente. Se vi siete confrontati attraverso il brainstorming e questi aspetti non sono emersi, potete scrivere le didascalie delle immagini alla lavagna nella colonna delle buone abitudini.
Chiedete agli studenti, in coppia, di scegliere tre fattori, tra quelli proposti, maggiormente positivi per l'ambiente. Chiedete anche di motivare le loro scelte e lasciate un po' di tempo per elaborare una breve esposizione da riferire poi alla classe.

Seconda parte

A L'ho sentita!

1 Osservate con la classe le vignette e chiedete agli studenti di cercare di raccontare cosa sta succedendo. Poi ascoltate il dialogo e, con gli studenti, provate a raccontarlo nuovamente.

2 Chiedete agli studenti di rintracciare nel dialogo le espressioni segnalate in blu; riascoltate o leggete il dialogo e chiedete agli studenti di avanzare delle ipotesi sulla funzione delle espressioni segnalate e sulle parole del testo cui queste espressioni si riferiscono.
Soluzione: a. un disco, b. una canzone di Ligabue, c. i versi, d. la canzone, e. la canzone, f. i versi della canzone
Dovrebbe emergere senza difficoltà che le parole in blu sono dei pronomi in funzione di complemento oggetto; la differenza rispetto a quelli precedentemente osservati è che qui vengono utilizzati con i tempi composti dei verbi.
Si osserverà che:
- il pronome diretto viene posto prima dell'ausiliare:
   Ho incontrato Paolo al cinema. =
   L*'ho incontrato al cinema.*
- la presenza di un pronome diretto determina nei tempi composti l'accordo di genere e numero del participio passato con il genere e numero del nome cui il pronome si riferisce:
   Ho salutato Maria davanti a scuola. =
   L*'ho salutat**a** davanti a scuola.*
   Ho mangiato tutte le bistecche. =
   ***Le** ho mangiat**e** tutte.*

3 Osservando nuovamente le frasi di A2 completate insieme la tabella, rinforzando così quanto sopra anticipato.
Soluzione: vista, incontrati

4 Proponete ora l'attività orale per l'utilizzo dei pronomi diretti con i tempi composti.
Soluzione: 1. Li abbiamo visitati l'anno scorso, 2. Sì, l'ho visto poco fa, 3. Sì, l'ho scaricato ieri, 4. Sì, le abbiamo conosciute tutte

5 Osservate insieme alla classe le frasi nelle quali compare il pronome *ne* qui utilizzato come partitivo. Cercate di far ipotizzare alla classe il perché di questo uso al posto del pronome *la*;

si tratta di un pronome usato come partitivo generalmente obbligatorio con un quantificatore e se il complemento è anteposto al verbo:
   *Ho comprato il pane. **Ne** vuoi un po'?*
Confermate le ipotesi consultando con la classe l'appendice grammaticale di pagina 145.

6 Role play
Osservate e descrivete le immagini; chiedete poi agli studenti di costruire dei minidialoghi usando *ne* nelle risposte, come presentato nell'esempio. Si possono ipotizzare minidialoghi simili ai seguenti: 1. Conosci quelle quattro ragazze? - No, ne conosco solo tre; 2. Quanti gelati hai mangiato? - Ne ho mangiato uno; 3. Quanta pizza hai ordinato? - Ne ho ordinati tre pezzi; 4. Quante biciclette avete? - Ne abbiamo una

Attività - gioco
Se la vostra programmazione lo consente, proponete agli studenti questo gioco per esercitare in modo divertente l'uso dei pronomi e per recuperare un po' di lessico relativo alla tavola e ai cibi. La durata dell'attività si può ipotizzare intorno ai 45/50 minuti.

Gioco
LA SPESA... DEI PRONOMI

Come si gioca
I giocatori sono divisi a gruppi di quattro o cinque studenti, in modo che il numero dei gruppi sia comunque pari.
Ogni gruppo ha a disposizione:
- un "capitale di 25 Euro";
- un elenco di cibi e bevande reperibili al supermercato con i relativi prezzi. Sarebbe più coinvolgente poter utilizzare un volantino pubblicitario di supermercato, uguale per ciascun gruppo. Non potendo procurare un volantino "originale" si può ricorrere a internet; molti siti italiani di supermercati offrono volantini da scaricare e stampare (www.simplymarket.it, www.lidl.it eccetera).

Scopo del gioco
Ogni gruppo deve fare la spesa per organizzare una cena per due persone, non superando il limite di 25 Euro. Fatta la spesa, ciascun gruppo deve risalire, ponendo domande a turno, ai

prodotti acquistati dai gruppi avversari. Le risposte devono obbligatoriamente contenere almeno un pronome complemento oggetto o partitivo *ne*.

Modello di domande/risposte da usare nel gioco:

- Hai comprato il pane? / Sì, ne ho comprato un chilo.

- Hai comprato il vino? / Sì, l'ho comprato.

- Hai comprato la birra? / Sì, l'ho comprata.

- Quante lattine di birra hai comprato? / Ne ho comprate tre.

- Quanto hai pagato la torta? / L'ho pagata 10 Euro.

Svolgimento

Spiegate lo scopo del gioco alla classe; quindi dividete gli studenti in gruppi di 4/5 persone. Distribuite un volantino (o una parte di esso) per ciascun gruppo e procedete a sfogliarlo insieme velocemente per chiarire eventuali dubbi.

A questo punto, date il via al gioco chiedendo ai vostri studenti di fare una spesa virtuale, in vista della cena alla quale hanno invitato un/un' amico/a, in un tempo massimo di 20 minuti e con una spesa massima, come detto, di 25 Euro. Suggerite agli studenti di fare una lista con tutti i prodotti "acquistati" e i loro prezzi.

Mentre gli studenti sono impegnati nella spesa, scrivete alla lavagna una serie di *domande/risposte tipo* da utilizzare nella seconda fase del gioco che farete iniziare trascorsi i venti minuti dati.

Mettete quindi a confronto i gruppi a due a due e fateli confrontare sulle rispettive spese: ciascun gruppo deve adesso cercare di indovinare i prodotti acquistati dal gruppo avversario.

Per fare questo, ogni studente di un gruppo pone a turno una domanda a uno studente dell'altro, seguendo come modello le tipologie di domande e risposte esemplificate alla lavagna. Chiarite che le risposte dovranno contenere sempre almeno un pronome, pena la perdita del proprio turno di domanda. Anche questa fase ha una durata massima di 20 minuti. Vince la sfida il gruppo che completerà per primo la lista della spesa del gruppo avversario. Se nessun gruppo avrà indovinato completamente la spesa del gruppo avverso, verrà proclamato vincitore il gruppo che sarà riuscito a raccogliere comunque il maggior numero di informazioni sui prodotti acquistati dagli altri.

Ti posso aiutare?

1 Leggete le espressioni nel box giallo e chiedete agli studenti, a coppie, di usarle per completare i minidialoghi.

Soluzioni: 1. No, grazie! Purtroppo non puoi aiutarmi.; 2. Vuoi una mano con le borse, mamma?; 3. La posso aiutare?; 4. Volentieri!; 5. Posso fare qualcosa?; 6. Grazie, molto gentile!

2 Procedete alla verifica attraverso l'ascolto dei minidialoghi e chiedete agli studenti di realizzare da soli un minidialogo sul modello di quelli appena letti.

3 Fate osservare le parti in blu dell'attività B1; notate ancora il pronome partitivo *ne* e la posizione in cui si trova nelle due frasi. Approfondite l'argomento consultando l'appendice grammaticale a pagina 145.

4 Confrontate con la classe le due immagini e avviate una breve discussione chiedendo agli studenti di esprimersi sulla situazione dei rifiuti nella loro città. Se lo ritenete realizzabile, prendete come punto di partenza la gestione dei rifiuti all'interno della scuola e parlate della sua efficienza/inefficienza e sui possibili ambiti di miglioramento.

I RIFIUTI A SCUOLA	
ASPETTI POSITIVI	**AREE DI MIGLIORAMENTO**
Contenitori differenziati nelle aule	Contenitori differenziati in cortili e corridoi
...	...
...	...
...	...

La Terra è in pericolo!

1 Introducete il contenuto del test e leggetelo alla classe fugando eventuali dubbi lessicali; chiedete poi agli studenti di rispondere autonomamente alle domande proposte: il punteggio che otterranno darà la misura della loro consapevolezza ambientale.

Chiedete agli studenti di conteggiare il proprio punteggio e leggete i tre profili emersi, spiegando eventuali punti poco chiari.

2 Chiedete agli studenti di confrontarsi a coppie sul test, sui risultati e su cosa ritengono fondamentale in materia di difesa dell'ambiente. Lasciate anche del tempo per uno scambio di idee in gruppo.

D Abilità

1 Ascoltate le interviste e individuate le affermazioni effettivamente presenti.
Soluzione: 1, 5, 6

2 Proponete agli studenti le tracce per una discussione orale in gruppo sulla natura, l'ambiente, l'ecologia.

Role play

L'ambiente è in grave pericolo; lo studente A pensa che si possa fare qualcosa solo ad altissimi livelli (governi, industrie, multinazionali), mentre B ritiene che la salvaguardia dell'ambiente dipenda da ciascuno di noi. Fate interpretare a turno a coppie di studenti i ruoli di A e B.

3 Leggete le indicazioni per la produzione scritta e chiedete agli studenti di scrivere seguendo la traccia scelta; vi consegneranno poi il testo per la correzione puntuale e individuale.

Conosciamo l'ITALIA

Gli italiani e l'ambiente

Prima di leggere i testi, osservate e commentate le immagini; procedete quindi con la lettura e sciogliete eventuali dubbi lessicali. Soffermatevi particolarmente sulle ultime due immagini: l'educazione ambientale è sempre più spesso protagonista nelle scuole d'Italia. Nella provincia di Milano, ad esempio, cinquanta scuole superiori hanno installato negli ultimi due anni pannelli fotovoltaici per la produzione di energia solare rendendo possibile il risparmio di oltre 200.000 litri di petrolio. Molte altre iniziative vengono messe in atto nelle scuole, anche in collaborazione con le associazioni ambientaliste.

Chiedete agli studenti di discutere sulle eventuali iniziative attuate nella vostra scuola. Potete anche proporre di scrivere una lettera di gruppo al Dirigente per chiedergli di favorire in ambito scolastico iniziative "amiche" dell'ambiente.

Tutti in bici!

Osservate le immagini e commentatele. Molte città italiane hanno attivato (o si stanno preparando a farlo) postazioni automatiche di noleggio biciclette, soprattutto nelle zone centrali, dove il traffico è più intenso e crea maggiori problemi. Inoltre, in Italia il ciclismo sia livello agonistico sia amatoriale è uno sport diffuso e praticato da persone di tutte le età. Quanto è diffuso tra i vostri studenti l'uso della bicicletta? Quali sono i vantaggi di questo mezzo di trasporto? E gli aspetti negativi? È consigliabile muoversi in bicicletta nella vostra città? Parlatene.

2 Progettiamo

Leggete e commentate le tre attività proposte; sceglietene una e lavorateci con la classe divisa in gruppi o in coppie di studenti. Qualunque sia la scelta, l'importante è parlare e scrivere sempre più spesso di ambiente, anche in italiano!

Prima parte, A5/A6

Attività di rinforzo

Utilizzando e collocando opportunamente i pronomi, completate la tabella come nell'esempio:

Frase di partenza = Vedo il mare.
*Indicativo e pronome = **Lo** vedo.*
*Infinito e pronome = Adoro veder**lo**.*

Frase di partenza	Indicativo e pronome	Infinito e pronome
Apro la finestra.		Devo …
Mangio le polpette.		Mi piace …
Tutte le sere leggo un libro.		… mi dedico a …
Ogni mattina bevo il caffè.		… non esco senza …
Incontro le amiche a scuola.		È bello …
Scrivo una mail a Carlo.		Sto provando a …
Ascolto con attenzione le parole della professoressa.		Cerco di …
Dalla mia finestra vedo il parco.		… riesco a …
Ricevo i giornali tutte le settimane.		Mi sono abbonato per …
Cucino la pasta volentieri.		Tutti sanno che …

Prima parte, A7

Obiettivo dell'attività: individuazione dei pronomi in funzione di complemento oggetto e degli elementi cui si riferiscono

Testo

Ciao Dino! Ho sentito della vostra band e la amo già! Non vedo l'ora di sapere quali canzoni avete scelto e vorrei sapere quando le suonerete. Andare in campagna a fare le prove è un'idea fantastica: la musica è bella ma non tutti la ascoltano volentieri... Hai parlato con tuo padre? Lo hai convinto? Vi porterà lui nella vostra casa di campagna? Fammi sapere se vi posso aiutare. Ammiro il vostro gruppo e lo seguirò sempre. Scrivi presto altre notizie: le aspetto!

Ciao,
Camilla

Prima parte, A8

Attività di rinforzo

Completate le risposte scegliendo opportunamente tra le seguenti locuzioni: (sì), lo so/ lo sappiamo – (no), non lo so/non lo sapevo/non lo sappiamo/non lo sapevamo.

Esempio: *Sai che domani i negozi sono chiusi?* **Sì, lo so**; *infatti ho già fatto la spesa.*

1) – Sapevi che la scuola ha dei progetti extracurricolari?

   – ....; io ho scelto il progetto sull'ambiente.

2) – Sapevi che il rosso è il colore preferito di Laura?

   – Oh, no! ....: le ho regalato una maglietta verde!

3) – Sai che ho comprato il nuovo disco di Giusy Ferreri?

   – ...., me lo hai fatto vedere ieri.

4) – Sapevate che domani la vostra classe non va a scuola?

   – Davvero? ....! Nessuno ci ha informati.

5) – Sapete che la nostra band suonerà domani sera alla festa della scuola?

   – ...., abbiamo i posti in prima fila!

6) – Sai quando inizia il nuovo telefilm di Rai 2?

   – Mah, ... Forse martedì sera.

7) – Sapete come si chiamerà la band di Dino?

   – ....: è ancora un segreto!

8) – Sapevi che il papà di Dino da giovane suonava la tastiera?

   – Davvero? ....!

9) – Sai che Cleopatra era una regina dell'antico Egitto?

   – ....: ho studiato la storia!

10) – Sapete che in Italia molte persone leggono l'oroscopo?

   – ...., c'è un oroscopo su tutti i giornali!

Facciamo spese

Elementi comunicativi e lessicali

- Il lessico per fare spese:
  - chiedere i prezzi
- Il lessico per parlare di abbigliamento:
  - parlare di colori
  - parlare di numeri
  - parlare di taglie
- Esprimere un parere
- Chiedere un parere
- Dare e prendere un appuntamento

Elementi grammaticali

- Il verbo riflessivo diretto
- Il verbo riflessivo reciproco

Civiltà

- La moda italiana
- I ragazzi italiani e la moda

Materiale necessario

- Prima parte, C2: una fotocopia per ciascuno studente di pagina 33

Per cominciare...

Osservate il titolo di questa unità: "Facciamo spese": si tratta di una locuzione molto usata in italiano spesso sostituita dall'analoga "fare shopping".

1 Osservate le immagini che riproducono le vetrine di tre negozi. Sono tre marchi molto conosciuti in Italia; individuate quale dei tre vende rispettivamente scarpe, accessori e abbigliamento. Poi disegnate alla lavagna un associogramma per reperire, partendo dalle due parole centrali, il maggior numero di parole possibili ad esse semanticamente collegate. Per esempio:

2 Introducete il dialogo anticipandone il contenuto: Alessia, Giulia e Chiara parlano di andare a far spese in un centro commerciale. Chiedete ai vostri studenti di esprimersi in proposito, parlando delle loro abitudini in fatto di compere. È probabile che la classe si divida in due gruppi e che la maggior parte dei maschi si schieri contro lo shopping, mentre la maggior parte delle femmine si dichiari più che favorevole a questo "passatempo". Potete fare una veloce indagine tra i vostri studenti, suddivisi per sesso, e riportare alla lavagna quante preferenze raccoglie lo shopping tra i maschi e quante tra le femmine. Anche i ragazzi, comunque, vanno a far spese: indagate insieme sui loro acquisti preferiti.

3/4 Ascoltate il dialogo e chiedete a qualche studente volontario di spiegare con parole sue quanto è riuscito a comprendere.
Procedete a un riascolto del dialogo e verificate quali affermazioni, tra quelle trascritte, son esatte.
Soluzione: 2, 5, 8

Prima parte

A Dai, ci divertiremo!

1 Procedete a un riascolto del dialogo per verificare la correttezza delle risposte date.

2 Ora, a libri chiusi, provate a far ripetere il contenuto del dialogo; se lo ritenete necessario, riascoltatelo nuovamente prima di farlo raccontare.

3 Chiedete agli studenti di lavorare in coppia e di scegliere una o due espressioni evidenziate in blu nel dialogo per inventare una o due frasi. Confrontate i risultati di tutta la classe per verificare se il senso delle espressioni sia stato interpretato da tutti allo stesso modo.

4 Chiedete agli studenti di completare singolarmente il dialogo inserendo opportunamente le parole date. Rileggete alla classe come verifica.
Soluzione: 1. Vi divertite, 2. Mi annoio, 3. Mi devo svegliare, 4. Si alzano, 5. Vi incontrate, 6. Ci vedremo, 7. Ci vestiamo

5/6 Osservate la fotografia, leggete le frasi e chiedete di individuare quella che corrisponde all'immagine. Fate osservare di nuovo le espressioni utilizzate per completare l'attività A4 e successivamente completate la tabella sui **verbi riflessivi**. Richiamate l'attenzione dei vostri studenti su questa forma, spiegando che molti verbi italiani possono essere coniugati in forma riflessiva, quando l'azione che essi esprimono ricade direttamente sul soggetto che la compie (**riflessivo diretto**).
Esempio:
Chiara veste **la bambola**. = verbo *vestire* usato in *forma attiva*
Chiara **si** *veste*. = verbo *vestire* usato in *forma riflessiva* (*vestirsi*).
I verbi della forma riflessiva si coniugano normalmente ma sono sempre accompagnati dal pronome riflessivo *mi, ti, si, ci, vi, si*.

ESEMPIO CONIUGAZIONE FORMA RIFLESSIVA VERBO VESTIRSI	
io	mi vesto
tu	ti vesti
lui/lei/Lei	si veste

noi	ci vestiamo
voi	vi vestite
loro	si vestono

Accennate al fatto che in italiano, accanto alla forma riflessiva diretta di cui si è appena parlato, esiste un **riflessivo indiretto** (o apparente) nel quale l'azione non ricade direttamente sul soggetto ma è compiuta nel suo interesse; anche in questo caso sono presenti i pronomi *mi, ti, si, ci, vi, si* in funzione di complemento di termine o di vantaggio.
Esempio:

Laura **si** *lava le mani*. =
Laura lava le mani a se stessa.

Ora chiedete agli studenti di abbinare le frasi delle due colonne.
Soluzione: 1. e, 2. d, 3. f, 4. a, 5. c, 6. b

7 Un terzo tipo di forma riflessiva è rappresentato dal **riflessivo reciproco**, che indica l'azione che due o più soggetti compiono e ricevono vicendevolmente. A seconda del significato del verbo i pronomi *ci, vi, si* possono avere funzione di complemento oggetto o di complemento di termine. Esempio:
Paolo e Dino **si** *stimano*. = *Paolo stima* **Dino** *e Dino stima* **Paolo**.
Ci *telefoniamo molto spesso*. = *Io telefono* **a lei** *e lei telefona* **a me** *molto spesso*.
Osservate la tabella e, anche alla luce di quanto appena detto, chiedete alla classe di completare le frasi coniugando opportunamente gli infiniti dati.
Soluzione: 1. Gianna e Mirta non si parlano più; 2. Vale, ci sentiamo più tardi, va bene?; 3. Ma voi, quanti sms vi scambiate al giorno?

B Che ne pensi?

1/2 Osservate e descrivete le immagini; poi fate ascoltare i minidialoghi e chiedete di abbinarli alle immagini.
Soluzione, in senso orario dalla prima figura in alto a sinistra: b, c, d, a
Procedete a un riascolto e chiedete agli studenti di completare la tabella con le espressioni mancanti.
Soluzione: che ne dici - la trovo molto…

3 Role play

Gli studenti a coppie, alternandosi nel ruolo di A e B chiedono ed esprimono un parere a proposito degli argomenti dati.

C Capi di abbigliamento

1 Fate osservare e descrivere le immagini; leggete i nomi dei capi di abbigliamento e cercate con la classe gli errori di abbinamento con le immagini.
Soluzione: 6 è una giacca e non un giubbotto; 5 è una canotta e non una maglietta

2 Chiedete agli studenti se conoscono alcuni nomi dei colori in italiano. Leggete i colori sul libro, aggiungendo quelli mancanti. Stimolate gli studenti a descrivere il proprio abbigliamento utilizzando il lessico sui vestiti e sui colori.
Soluzione: nero, bianco, blu, giallo

Molte espressioni in italiano ricorrono ai colori per indicare particolari significati. Fate una fotocopia per ciascuno studente della pagina 33 e chiedete di abbinare le espressioni di sinistra con il significato corrispondente a destra. Verificate la correttezza delle scelte e riutilizzate poi le espressioni appena viste per completare le frasi, sostituendo le parti in corsivo. Se necessario, guidate voi l'esercizio, almeno nella prima parte di abbinamento.
Soluzione abbinamento: 1. d, 2. h, 3. f, 4. g, 5. b, 6. e, 7. c, 8. a
Soluzione frasi: 1. dò carta bianca, 2. vede *sempre* tutto nero, 3. non distingue il nero dal bianco, 4. diventato rosso, 5. mi ha fatto venire i capelli bianchi, 6. vede tutto rosa, 7. mettere nero su bianco, 8. sono al verde

3 Molti italiani, non solo gli adulti, ma anche i ragazzi, amano vestirsi con cura e la moda italiana è famosa in tutto il mondo: parlatene con i vostri studenti.
Osservate e descrivete con la classe il disegno con i capi di abbigliamento. Chiedete poi agli studenti di lavorare in coppia per abbinare, seguendo il modello dato, i vestiti dell'immagine secondo i propri gusti, chiedendo di realizzare il maggior numero di combinazioni possibili. Procedete con un confronto di classe sui "completi" realizzati.

Seconda parte

A Che numero porti?

1 Osservate le vignette e fate lavorare in coppia per ricostruire la storia prima di leggere/ascoltare il dialogo; confrontate gli scenari emersi dalle singole coppie. Poi procedete all'ascolto per verificare la correttezza delle ipotesi avanzate.

2 Chiedete agli studenti di lavorare singolarmente per rispondere alle domande in base a quanto ricordano del dialogo. Leggete e verificate con la classe le risposte.
Risposte: 1. Chiara, 2. Un paio di scarpe sportive, 3. Il numero 36, 4. È blu, 5. La small, 6. Alessia

3 Osservate le espressioni in blu del dialogo; chiedete agli studenti, in coppia, di inserirne due nelle frasi dell'attività, in base al loro significato.

Soluzione: ti sta bene, in fretta

Chiedete poi agli studenti di riutilizzare queste espressioni per inventare altre due frasi e confrontatele con la classe.

4 Rileggete le due battute iniziali del dialogo, enfatizzando le espressioni *mi sono svegliata*, *mi sono alzata* e *mi sono preparata*. Chiedete agli studenti di indicare quali elementi accomunino queste espressioni. Riprendete le ipotesi emerse e specificate che si tratta della forma riflessiva di verbi coniugati al passato prossimo (tempo composto). Osservate e completate la tabella e fate notare che l'ausiliare dei tempi composti nella forma riflessiva è sempre il verbo *essere*.
Esempio:
*Luca **ha** svegliato la mamma.* → forma attiva, ausiliare *avere*

*Luca si **è** svegliato.* → forma riflessiva, ausiliare *essere*

ESEMPIO DI CONIUGAZIONE RIFLESSIVA TEMPO COMPOSTO – VERBO SVEGLIARSI	
io	mi sono svegliato/a
tu	ti sei svegliato/a
lui/lei/Lei	si è svegliato/a
noi	ci siamo svegliati/e
voi	vi siete svegliati/e
loro	si sono svegliati/e

5 Leggete il modello dato e chiedete agli studenti di completare singolarmente le frasi.
Soluzione: 1. Anche oggi ci siamo sentite per telefono, 2. Ieri sera invece si sono addormentati, 3. Anche questa volta mi sono lavato le mani, 4. Stamattina però ti sei alzato tardi, 5. Oggi però si è vestito bene

Gara ... riflessiva

Dividete la classe in squadre di 4/5 studenti. Scrivete alla lavagna una serie di verbi (circa una ventina) e spiegate le semplici regole del gioco: al vostro via ciascuna squadra scriverà il maggior numero possibile di frasi, utilizzando i verbi in forma riflessiva coniugati al passato prossimo, in un tempo massimo di 5 minuti. Procedete con la classe alla lettura delle frasi e attribuite un punto ad ogni frase corretta. Vince la squadra più ... riflessiva!

B Quanto costa?

1 Riprendete il dialogo e chiedete agli studenti in coppia di individuare e sottolineare le espressioni utilizzabili per fare acquisti; procedete alla lettura delle espressioni trovate da ciascuna coppia.
Soluzione: ho visto in vetrina, che numero porti?, vanno bene?, sono perfette, quanto costano?, costano ...euro, c'è il ...% di sconto, che taglia porti, small, provare, il camerino è ..., ti sta bene, la prendo

2 Role play

A e B rivestono i ruoli di acquirente e venditore all'interno di un negozio nel quale A si è

recato per comperare un regalo a un amico. Leggete le espressioni inserite nel box, molto utili per fare acquisti e chiedere informazioni; sciogliete gli eventuali dubbi di lessico. Quindi fate svolgere il role play seguendo le indicazioni date e alternando i ruoli.

C A che ora ci possiamo vedere?

1/2 Osservate e descrivete le vignette e leggete le didascalie; osservate l'uso dei verbi riflessivi in unione ai verbi modali; come già notato nella precedente unità osservate che i pronomi *mi, ti, si, ci, vi, si*, quando siamo in presenza di verbi modali, possono essere posti prima del verbo o uniti alla desinenza dell'infinito. Osservate a questo proposito la tabella e completatela opportunamente.
Soluzione: devo fermarmi, ti vuoi svegliare, ci possiamo trovare

D Che consumatore sei?

1/2 Leggete gli item del test proposto, chiarendo eventuali dubbi; chiedete poi agli studenti di rispondere alle domande secondo i propri gusti e le proprie abitudini per scoprire a quale categoria di consumatore appartengano. Chiedete di calcolare il punteggio e procedete alla lettura, con eventuali spiegazioni, del profilo emerso. Avviate una discussione a partire dai risultati ottenuti da ciascuno studente.

E Abilità

1 Ascoltate le interviste e completate le frasi proposte dall'attività.
Soluzione: 1. piace una cosa, 2. che voglio, 3. a modo mio, 4. con i tempi, 5. qualcosa di vecchio, 6. essere di marca

2 Leggete con la classe queste tracce per una discussione sull'abbigliamento; potete anche utilizzare delle riviste di moda italiana, con fotografie e articoli piacevoli e facili da commentare. Proponete a qualche studente a turno di svolgere l'attività presentata al punto 6.

3 Chiedete agli studenti di scrivere un post (di circa 60/80 parole) su un blog che tratta di

moda, scegliendo una di queste possibilità:
1) Criticare chi spende esageratamente per il proprio abbigliamento.
2) Chiedere informazioni su negozi e offerte speciali.

Conosciamo l'ITALIA

Moda e giovani

Brainstorming: chiedete agli studenti di pensare e dire parole italiane legate all'ambito della moda. Proponete poi alla lavagna un associogramma utilizzando le parole emerse e altre; chiedete agli studenti di ricopiarlo sul quaderno.

Leggete il testo su moda, abbigliamento e centri commerciali. Osservate i marchi di alcuni degli stilisti italiani più famosi, chiarite eventuali dubbi lessicali e discutete con gli studenti seguendo le tracce dell'attività 1.

Potrà essere utile spiegare, ad esempio, l'espressione "non tutti si possono permettere" notando che si può costruire sia con un sostantivo (come in questo caso) sia con una proposizione dipendente: *Non mi posso permettere di spendere troppi soldi per una borsa.*

Proponete il quiz di pagina 58 e divertitevi a elencare altre firme famose della moda italiana.

3 Progettiamo!

Seguite le indicazioni per queste attività da svolgere in gruppo o in coppia; se il tempo a vostra disposizione non è molto, scegliete quella più votata dalla classe.

Prima parte, Attività C2

ESPRESSIONI	SIGNIFICATI
1) Essere al verde	a) Essere ottimista
2) Non distinguere il nero dal bianco	b) Arrossire per la vergogna
3) Mettere nero su bianco	c) Dare preoccupazioni, spaventare
4) Vedere tutto nero	d) Non avere più soldi
5) Diventare rosso	e) Lasciare/avere piena libertà di azione
6) Dare/avere carta bianca	f) Scrivere su carta un accordo
7) Far venire i capelli bianchi a qualcuno	g) Essere pessimista, prevedere disgrazie
8) Vedere tutto rosa	h) Non capire nulla

Frasi

1) Non posso occuparmi della scelta delle canzoni per lo spettacolo: ti *lascio completa libertà di scelta*

   (_____).

2) Non chiedere a Marco come andrà il concorso, per lui *sarà una catastrofe*, lui _____

   sempre _____ !

3) Dino non è stato capace di dirmi se gli piace il giubbotto rosso o quello verde! A volte non *è capace di fare*

   distinzioni (_____)!

4) Quando Paolo ha incontrato la ragazza dei suoi sogni sull'autobus è *arrossito* dalla vergogna

   (_____).

5) Mio padre questa mattina era in ritardo; guidava così velocemente che *mi ha spaventato*

   (_____).

6) Chiara è un'inguaribile ottimista: _____ sempre _____ !

7) Credo che dovremmo mettere per iscritto (_____) le regole del nostro gruppo.

8) Neanche questo mese potrò comprare la chitarra nuova: non ho più soldi (_____).

Facciamo sport

Elementi comunicativi e lessicali

- Chiedere in prestito
- Chiedere un favore
- Esprimere un parere
- Esprimere dispiacere
- Esprimere un desiderio
- Parlare di sport

Elementi grammaticali

- I pronomi indiretti
- L'uso dei pronomi indiretti con i tempi composti

Civiltà

- Lo sport in Italia
- I ragazzi italiani e la pratica sportiva

Materiale necessario

- Prima parte, **A7**: una fotocopia per ogni studente dell'attività a pagina 41
- Prima parte, **A7**: per il gioco, 15 fotografie ritagliate da riviste con persone ritratte da sole o in compagnia, incollate su altrettanti cartoncini

Per cominciare...

1 Osservate le immagini e chiedete agli studenti di descrivere quello che vedono, utilizzando anche il lessico relativo ai colori. Anticipate così il contenuto dell'unità; chiedete poi di abbinare le fotografie agli sport corrispondenti. I vostri studenti praticano uno degli sport qui rappresentati? Sarebbero in grado di descriverli brevemente?
Soluzione: 1. calcio, 2. pallavolo, 3. pallacanestro, 4. tennis, 5. ciclismo, 6. nuoto

2 Discutete ora con la classe dello sport preferito da ciascuno e dello sport più popolare nel loro Paese. Potete anche ampliare la discussione chiedendo se conoscono lo sport più popolare in Italia e se lo seguono.

3 Leggete le domande e chiedete agli studenti di ipotizzare il contenuto del dialogo; procedete poi con l'ascolto e fate rispondere alle domande.
Soluzione: 1. a, 2. b, 3. c, 4. a

Prima parte

A Ti posso dare un consiglio?

1 Osservate le vignette e descrivetele insieme agli studenti: avendo ascoltato il dialogo non dovrebbe risultare difficile. Chiedete poi a coppie di studenti di rileggere il dialogo e di completarlo ricordando quanto ascoltato. Riascol-

tate insieme e verificate le risposte.
Soluzione: manderò un messaggio, avete scelto, si preoccupa, si deve preoccupare

2 Leggete le parole chiave date e chiedete a qualche studente di utilizzarle per riassumere il dialogo oralmente. Se dovesse sembrare complicato riassumere l'intero dialogo, fate comporre una frase per volta, seguendo l'ordine delle parole chiave, e procedete ad "assemblarlo" in un secondo momento.

Possibile riassunto: Paolo invita Dino a vedere una partita a casa sua e Dino invita Paolo ad andare ad ascoltare la canzone che il gruppo ha scelto per il concorso. È una canzone di Ligabue e parla di ambiente. Dino e Paolo scherzano e dicono che Ligabue si preoccuperà per la sua carriera quando Dino canterà la canzone con la sua bella voce. Paolo consiglia a Dino di tenersi in forma per il concorso e gli propone di andare a correre.

Attività di rinforzo

Se il tempo a vostra disposizione lo consente, chiedete agli studenti di lavorare in coppie e di utilizzare queste parole chiave per scrivere un breve racconto di loro invenzione.

Oppure, assegnate questa attività come esercizio scritto da eseguire a casa.

3 Osservate la fotografia dei ragazzi in piscina: i vostri studenti sono mai andati in piscina insieme? Hanno mai fatto un corso di nuoto con la scuola? Praticano il nuoto o qualche sport acquatico individualmente? Parlatene.

Leggete con la classe le espressioni del dialogo evidenziate in blu e chiedete agli studenti di riutilizzarle, lavorando a coppie, per completare le frasi. Procedete con la classe alla verifica dei completamenti effettuati.

Soluzione: 1. ha perso la testa, 2. Al massimo, 3. il suo forte, 4. in forma

Per rinforzare l'uso di queste espressioni chiedete agli studenti di inventare delle frasi autonomamente e leggetele con la classe.

4 Introducete l'attività informando che si tratta di un breve dialogo al telefono tra Paolo e Dino che prendono accordi per andare a correre insieme. Chiedete agli studenti di ipotizzare lo svolgimento di questa telefonata. Scrivete poi alla lavagna i pronomi indiretti necessari per lo svolgimento dell'attività e chiedete ai vostri studenti di inserirli dove opportuno per completare autonomamente il testo. Leggete il testo completato.

Soluzione: 1. mi, 2. mi, 3. gli, 4. le, 5. ti

5 Leggete la tabella con la classe e completatela

con i pronomi mancanti (La musica rock *mi* piace molto. – *Ti* interessa il calcio italiano? – Quando *le* telefonerai?). Spiegate agli studenti che si tratta di una tabella che esemplifica l'uso dei pronomi indiretti e chiedete di osservare quale sia la differenza tra questi e i pronomi diretti precedentemente studiati. Fate anche osservare che accanto alla forma standard del pronome indiretto di terza persona plurale *loro* (posto dopo il verbo) convive ormai diffusamente una forma *gli* (posta prima del verbo). Esempio:

Porto la posta *ai miei vicini* di casa.

Porto *loro* la posta.   *Gli* porto la posta.

Anche se l'italiano parlato ricorre largamente alla forma *gli*, è importante che i vostri studenti conoscano anche la forma *loro*, ancora molto utilizzata nella comunicazione scritta e preponderante negli scritti a carattere letterario.

Se lo ritenete copiate questa tabella alla lavagna, almeno per la parte relativa ai pronomi (soggetto e complemento indiretto) e chiedete agli studenti di aiutarvi a cercare un esempio per ciascun pronome.

TABELLA ESEMPLIFICATIVA DEI PRONOMI INDIRETTI		
Io	mi	**Mi** ha chiesto di uscire.
Tu	ti	**Ti** ho mandato un sms ieri pomeriggio.
Lui	gli	Per il suo compleanno **gli** ho regalato un pallone da calcio.
Lei	le	Per convincerla **le** ho detto che verrai anche tu.
Noi	ci	La professoressa **ci** ha parlato di protezione dell'ambiente.
Voi	vi	**Vi** abbiamo appena scritto una mail.
Loro	gli	Ho visto Luigi e Carla e **gli** ho detto che domani andrò a Milano.
	loro	Ho visto Luigi e Carla e ho detto **loro** che domani andrò a Milano.

6 Leggete l'esempio e chiedete agli studenti di rielaborare le frasi sostituendo con i pronomi adeguati le parti evidenziate in blu, operando come nel modello.

Soluzione: 1. *Ci* piacciono i fumetti, 2. Cosa *gli* regali? / Cosa regali *loro*?, 3. Purtroppo non *ti* scrivo molto spesso, 4. *Gli* chiederò di aiutarmi

7 Osservate e fate descrivere le immagini alla classe: chiedete poi di completare le frasi scegliendo tra pronomi diretti e indiretti.
Soluzione: 1. *Lo* comprerò durante i saldi, 2. *Gli* devo dare il libro che mi ha prestato, 3. Ora *le* telefono, 4. Io la partita non *la* vedrò, vado a letto presto

Attività di rinforzo

Proponete questa attività per rinforzare le competenze nell'uso dei pronomi diretti e indiretti. Potete svolgere l'attività in classe o, se la programmazione non lo consente, assegnare la prima parte da eseguire a casa e procedere in classe solo con la correzione. Avrete bisogno di fotocopiare per ogni studente il testo dell'attività dato a pagina 41, le domande relative e la tabella. Chiedete agli studenti di leggere il testo da voi fotocopiato e individuare i pronomi diretti e indiretti, inserendoli nelle due colonne corrispondenti. Fate poi indicare a quali parti del discorso i pronomi fanno riferimento; chiedete di esplicitare osservazioni a proposito di quanto hanno potuto osservare, servendosi anche delle domande date. Proponete poi voi una tabella riassuntiva di alcune particolarità che emergono grazie all'osservazione dei pronomi presenti nel testo e discutetela con la classe. Soluzione tabella:

TABELLA PER L'INSERIMENTO E L'ANALISI DEI PRONOMI			
Pronomi diretti	**Termini cui si riferiscono**	**Pronomi indiretti**	**Termini cui si riferiscono**
l' = lo	Dino	Ti	a te
le	Giulia e Letizia	gli	a Dino
la	Maria	gli	a Dino
l' = la	Maria	le	a Maria
li	Paolo e Dino	le	a Maria
ci	noi	gli	a Paolo e Dino
Ti	te	mi	a me
		loro	a Paolo e Dino

Domande e risposte sulle osservazioni fatte
1) Sapresti indicare quali funzioni può avere il pronome *ti*?
2) Sapresti indicare per quali persone usiamo il pronome *gli*?
3) Sapresti indicare per quali persone usiamo il pronome *le*?
4) Sapresti indicare la differenza nell'uso dei pronomi di terza persona plurale *gli/loro*?

1) Il pronome **ti** può essere:
   - complemento oggetto = **Ti** ho visto mentre uscivi.
   - complemento di termine = **Ti** regalerò l'ultimo cd di Vasco Rossi.
2) Il pronome **gli** si può usare:
   - come complemento di termine per la terza persona singolare maschile = Ho invitato Carlo a cena e **gli** ho preparato le lasagne al ragù.
   - come complemento di termine per la terza persona plurale = Ho notato Carlo e Antonella sotto la pioggia e **gli** ho offerto un passaggio in macchina.
3) Il pronome **le** si può usare:
   - come complemento oggetto per la terza persona plurale femminile = Ho comperato delle piante nuove e **le** ho piantate subito in giardino.
   - come complemento di termine per la terza persona singolare femminile = Sono andata da Anna e **le** ho restituito il suo libro.
4) Il pronome **gli** va posto prima del verbo =

Ho parlato con Elena e Andrea e

gli ho detto che domani non ci sarò.   ho detto **loro** che domani non ci sarò.

Gioco

Se i tempi della vostra programmazione lo consentono, potete proporre questo gioco (la sua durata in classe sarà di 20/30 minuti). Preparate in anticipo l'attività ritagliando da riviste immagini pubblicitarie o fotografie di personaggi ritratti da soli e in gruppo e incollatele su cartoncini per renderle più resistenti: vi serviranno complessivamente una quindicina di cartoncini con altrettante immagini. Formate squadre di 4/5 studenti e spiegate le regole del gioco. Innanzitutto, ciascuna squadra dovrà darsi un nome scegliendolo tra i nomi dei colori in italiano (in un tempo massimo di 30 secondi). Gioca una squadra per volta; il turno di gioco viene stabilito in base all'iniziale del nome della squadra, partendo dalle prime lettere dell'alfabeto per arrivare alle ultime. A turno, ciascun giocatore pesca un cartoncino e, in base ai personaggi pescati, inventa una frase che contenga almeno un pronome personale, diretto o indiretto, e che preferibilmente sia in qualche modo collegata con la frase del compagno che ha parlato precedentemente. Vince il gioco la squadra che totalizza il maggior numero di frasi in un tempo massimo di tre minuti.

Esempio:

Lo studente A pesca un cartoncino con tre ragazzi e dice:

"Oggi sono andato a trovare i miei cugini e ho portato *loro* il nuovo cd di Ligabue".

Lo studente B pesca invece un cartoncino con una signora anziana e continua:

"Io, invece, ho telefonato a mia nonna e *le* ho chiesto come stava".

B Mi puoi dare una mano?

1 Osservate e descrivete le immagini con la classe, poi leggete le funzioni linguistiche che possono essere realizzate anche grazie all'uso dei pronomi; proponete quindi l'ascolto dei minidialoghi e chiedete alla classe di abbinarli alle immagini corrispondenti.
Soluzione dall'alto in basso (immagini): c, d, a, b

2 Chiedete agli studenti di completare autonomamente le frasi usando le espressioni viste nell'attività B1.
Soluzione: 1. Mi presti, 2. Ti dispiace, 3. darmi una mano, 4. Ci dispiace

Come attività preparatoria al role play successivo chiedete agli studenti di scrivere almeno cinque frasi riutilizzando le espressioni appena studiate.

3 Role play

Leggete con la classe le situazioni presentate per lo svolgimento di questa attività. Chiedete poi agli studenti, in coppia, di scegliere una situazione e di preparare in circa due minuti un minidialogo inerente.

4 Osservate e descrivete insieme le fotografie poi chiedete agli studenti di abbinare le parole corrispondenti ai singoli elementi.
Chiedete poi agli studenti in coppia di scegliere almeno tre fra le parole date e di utilizzarle per scrivere un breve testo.
Soluzione: 9, 10, 2, 8, 7, 1, 4, *6*, *5*, 3, 11

Seconda parte

A   Cosa vi hanno detto?

1 Osservate e descrivete insieme le vignette, chiedendo alla classe di provare a immaginare lo svolgimento del dialogo e della storia. Procedete poi all'ascolto del dialogo e chiedete a qualche studente di raccontare nuovamente la storia per verificare le ipotesi precedentemente formulate.

2 Procedete a un riascolto del dialogo o, in alternativa, leggetelo voi alla classe, magari enfa-

tizzando con la voce le espressioni evidenziate in blu, oggetto di analisi nell'attività successiva; chiedete quindi agli studenti di individuare le affermazioni effettivamente presenti nel testo fra quelle elencate.
Soluzione: 1, 2, 6, 7

3 Ritornate sulle espressioni del dialogo evidenziate in blu e chiedete agli studenti di utilizzarne una per costruire una frase. Confrontate poi le frasi con tutta la classe.

4 Fate osservare l'uso dei pronomi indiretti con i tempi composti presenti nel dialogo; poi analizzate e commentate insieme la tabella con pronomi diretti e indiretti e i tempi composti.

5 Leggete insieme le frasi dell'attività e chiedete agli studenti di riscriverle utilizzando i pronomi indiretti adatti per sostituire le espressioni in blu. Date una frase come esempio: Hai restituito *a Marco* il libro? = *Gli* hai restituito il libro? *Soluzione*: 1. Gli ho fatto vedere le foto che avevo fatto a Roma; 2. Gli hai raccontato l'intero film?; 3. Gli ho inviato un messaggio perché si preoccupava; 4. Le abbiamo regalato una bellissima borsetta; 5. Ma vi ho già detto tutto quello che sapevo

B Siete in forma?

1/2 Leggete gli item proposti da questa attività e chiarite eventuali dubbi. Chiedete poi a ciascuno studente di seguire il suo percorso e, alla fine, leggete tutti i profili. Fate un sondaggio e verificate quanti studenti sono inseriti in ciascuna delle tre aree. Se lo ritenete, potete differenziare il sondaggio tra maschi e femmine, magari copiando alla lavagna i dati in una tabella e chiedendo a qualche studente di descriverli al resto della classe per avviare la successiva discussione: gli studenti si riconoscono nel profilo ottenuto? Ci sono differenze sensibili tra i risultati dei maschi e quelli delle femmine? Se sì, come mai?

VERDE		ARANCIONE		ROSSO	
QUELLI IN FORMA		I CONSAPEVOLI		I PIGRONI	
M	F	M	F	M	F

C Sport: seguirlo o praticarlo?

1 Chiedete alla classe di pensare, come all'inizio dell'unità, allo sport in Italia; che idee hanno? Quale pensano sia il rapporto tra i giovani italiani e lo sport? Discutetene.
Osservate poi il grafico che riporta, appunto, dati relativi alla concezione dello sport più dif-

fusa in Italia tra i ragazzi. Chiedete agli studenti di lavorare in coppia per descrivere il grafico e per esprimersi sulle conseguenze che certe abitudini hanno nella vita quotidiana; gli studenti relazioneranno poi alla classe le proprie considerazioni, servendosi di appunti presi durante l'analisi/discussione in coppie.

2 Copiate alla lavagna la tabella presentata dal libro e leggetela con la classe. Sono qui espressi sette motivi che potrebbero indurre una persona a fare dello sport. Dopo una discussione generale chiedete a ciascuno studente di attribuire a ciascuna motivazione un valore da 1 a 7, dove 1 rappresenta una grande importanza e 7 scarsissima. Se lo ritenete, scrivete alla lavagna la somma di tutti i punti ottenuti e riordinate, anche graficamente, le motivazioni partendo da quella che ha meno "punti" e che quindi ha ottenuto da più persone una priorità più alta.

3 Osservate e descrivete con la classe queste immagini; chiedete di lavorare in coppia per fare un confronto e rilevare almeno due differenze tra le attività fisiche qui rappresentate.

Attività di potenziamento lessicale

Con l'aiuto degli studenti scrivete alla lavagna alcune parole relative alla pratica sportiva: palestra, campo di calcio, campo da tennis coperto/scoperto; piscina coperta/scoperta; pista di atletica; campo di pallavolo eccetera e dividete le voci in due gruppi, a seconda che si riferiscano a sport *indoor* o *outdoor*. Successivamente avviate una discussione generale su vantaggi e svantaggi degli sport all'aperto vs gli sport al chiuso; dividete la lavagna a metà e trascrivete quanto emerge dalla discussione. Chiedete agli studenti di utilizzare il lessico appena visto per esemplificare le proprie posizioni. Esempio di tabella da disegnare alla lavagna:

	ALL'APERTO		AL CHIUSO	
sport	vantaggi	svantaggi	vantaggi	svantaggi
tennis	Si può vedere il panorama	Non si può giocare con la pioggia	La temperatura d'inverno è buona	Costi maggiori del campo
nuoto	…	…	…	…

4 Leggete questo elenco di attività fisiche con il rispettivo dispendio calorico e chiedete agli studenti di riordinarle dalla più faticosa alla meno faticosa. Chiedete anche di discutere quali di queste attività vengono svolte dai vostri studenti nell'arco di una settimana e per quante volte. Se il tempo a vostra disposizione lo consente, potete approfondire domandando agli studenti se conoscono la quantità di calorie bruciate durante la pratica di altre attività. Anche le attività domestiche, ad esempio, prevedono un dispendio di calorie. In dieci minuti di lavoro per fare i letti si consumano 32 calorie, 38 e 35 per pulire rispettivamente pavimenti e finestre, 32 per spolverare. Da notare che un uomo, a parità di movimento, "brucia" circa il 40% di calorie in più: discutetene!

D Abilità

1/2 Osservate le quattro immagini che raffigurano gli stemmi di quattro famose squadre di calcio italiane. Chiedete ai vostri studenti di abbinare queste squadre alle rispettive città e domandate se conoscono altre squadre e se sanno in quali città italiane hanno la loro sede. Fate indicare con una crocetta gli stemmi delle squadre nominate nelle interviste ai ragazzi italiani.

Dopo aver ascoltato le interviste, fate esprimere gli studenti sul contenuto; procedete poi a un riascolto e fate indicare con una crocetta se le affermazioni riproposte sul testo sono vere o false.

Soluzione A1: Milan, Juventus
Soluzione A2: 1. F, 2. V, 3. F, 4. V, 5. F, 6. V, 7. V, 8. F

3 Scegliete una o due delle tracce date (da 1 a 3) e avviate una discussione con tutta la classe. Se il tempo a vostra disposizione lo consente, potete a varie riprese, utilizzare tutte le tracce per la discussione di gruppo.

Role play

Leggete gli spunti dati al punto 4, chiarite eventuali dubbi e chiedete agli studenti di lavorare in coppia per preparare un testo orale da esporre alla classe.

Chiedete poi di comporre singolarmente un testo scritto di circa 80 parole, utilizzando la traccia data al punto 5, per spiegare a un amico la decisione di dedicarsi all'esercizio fisico e il desiderio di convincere l'interlocutore a praticare uno sport insieme.

Conosciamo l'ITALIA

Lo sport in Italia

1 Nel corso di questa unità, soprattutto nella parte finale, avete parlato con la classe del rapporto tra i giovani italiani e lo sport: avete qui la possibilità di osservare da vicino questo aspetto della società italiana.

Leggete agli studenti le domande di pagina 75: sono in grado di rispondere? Sicuramente lo saranno dopo la lettura dei brani riportati!

Oltre alla lettura e alla comprensione, se lo ritenete opportuno, potete impostare un'attività di rinforzo del lessico. Potreste, ad esempio, lavorare sulle parole omonime (cioè identiche nella forma ma con significato diverso) o polisemiche (cioè che hanno più di un significato pur essendo la stessa parola). Omonimia e polisemia sono fenomeni che vengono distinti chiaramente nel dizionario;

- l'omonimia viene sottolineata riportando **separatamente** le parole omonime che ricevono un numero progressivo posto come esponente o tra parentesi;
- la polisemia viene sottolineata facendo seguire alla parola, scritta una sola volta all'inizio, tutti i suoi diversi significati riportati uno dopo l'altro.

Anche se a questo livello di apprendimento dell'italiano non è opportuno approfondire la questione nei termini sopraccitati, rimane però interessante far notare come alcune parole abbiano più di un significato, sottolineando che ciascun significato specifico può risultare chiaro dalla comprensione del contesto o verrà "scovato" con l'aiuto del dizionario.

Nei brani sullo sport troviamo il termine **titolo** che può, tra l'altro, essere:

1) nome, parola o frase che serve per individuare un testo scritto o un'opera:

Il *titolo* della mia canzone italiana preferita è "Ti scatterò una foto".

2) qualifica di una persona in base al suo grado sociale, alla carica che riveste, al livello raggiunto negli studi:

Dopo la laurea ho conseguito il *titolo* di Dottore.

3) in campo sportivo, qualifica attribuita al/ai vincitore/i del campionato in una specialità:

La squadra è in lotta per il *titolo* europeo.

Esistono inoltre due significati per la parola **squadra**: una indica lo strumento da disegno a forma di triangolo rettangolo; l'altra designa invece un gruppo di persone che lavorano insieme o che comunque perseguono lo stesso scopo e viene usata in molti ambiti: militare, sportivo, lavorativo eccetera.

La parola **successo** designa sia un risultato favorevole sia ciò che ha riscosso successo; si usa in campi disparati:

L'ultimo libro di Andrea Camilleri ha riscosso molto *successo*.

"Piccolo grande amore" è un famosissimo *successo* di Claudio Baglioni.

Calcio, poi, può significare, tra l'altro:

1) il colpo tirato con il piede:

Mentre dormivo ho dato un *calcio* al comodino.

2) il gioco tra squadre che conosciamo:

Il *calcio* è lo sport più seguito dagli italiani.

3) un elemento chimico:

Il simbolo chimico del *calcio* è Ca.

Infine, il termine **campo** si usa in italiano per designare ad esempio:

1) una porzione di terreno (o anche la campagna):

Dalla mia finestra vedo un *campo* di grano.

2) un'area delimitata e attrezzata per varie attività:

Ci siamo dati appuntamento al *campo da tennis*.

3) un settore di studi, di ricerca, di lavoro:

In *campo scientifico* nessuno è all'altezza del Prof. Rossi.

La stessa parola ha anche altri significati che non elenchiamo; come curiosità ricordiamo però che nella città di Venezia la parola *campo* viene usata per indicare la piazza.

2   Consultate il sito per ulteriori proposte con la classe o suggerite agli studenti di farlo autonomamente: troveranno altre attività relative all'argomento "sport in Italia".

3   Progettiamo!

Attraverso queste tre attività avete la possibilità di far esercitare i vostri studenti al di fuori della loro classe. Votate l'attività preferita o fate scegliere a gruppi di studenti quale attività vogliono svolgere. Procedete poi a una discussione in classe dei risultati ottenuti nella vostra scuola o sul territorio dallo sport italiano!

Prima parte, A7
Testo per l'attività di rinforzo

Chiara ha scritto una mail ad Alessia per informarla del desiderio di Paolo di andare a correre con Dino. Sottolinea tutti i pronomi diretti e indiretti, suddividili nelle colonne corrispondenti, e indica a quale termine si riferiscono: l'attività è avviata.

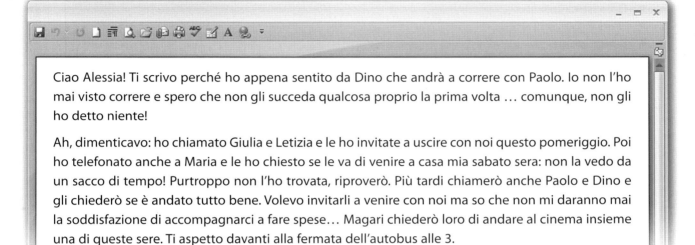

Ciao Alessia! Ti scrivo perché ho appena sentito da Dino che andrà a correre con Paolo. Io non l'ho mai visto correre e spero che non gli succeda qualcosa proprio la prima volta … comunque, non gli ho detto niente!

Ah, dimenticavo: ho chiamato Giulia e Letizia e le ho invitate a uscire con noi questo pomeriggio. Poi ho telefonato anche a Maria e le ho chiesto se le va di venire a casa mia sabato sera: non la vedo da un sacco di tempo! Purtroppo non l'ho trovata, riproverò. Più tardi chiamerò anche Paolo e Dino e gli chiederò se è andato tutto bene. Volevo invitarli a venire con noi ma so che non mi daranno mai la soddisfazione di accompagnarci a fare spese… Magari chiederò loro di andare al cinema insieme una di queste sere. Ti aspetto davanti alla fermata dell'autobus alle 3.

A dopo,

Chiara

PRONOMI			
Pronomi diretti	**Termini cui si riferiscono**	**Pronomi indiretti**	**Termini cui si riferiscono**
		Ti	A te, Alessia

Dopo aver eseguito l'attività precedente, osserva i pronomi che hai trascritto e cerca di rispondere alle seguenti domande:
1) Sapresti indicare quali funzioni può avere il pronome *ti*?
2) Sapresti indicare per quali persone usiamo il pronome *gli*?
3) Sapresti indicare per quali persone usiamo il pronome *le*?
4) Sapresti indicare la differenza nell'uso dei pronomi di terza persona plurale *gli/loro*?

L'ora della verità!

Elementi comunicativi e lessicali

- Dare ordini
- Dare istruzioni
- Dare indicazioni stradali
- Dare consigli
- Proibire

Elementi grammaticali

- L'imperativo diretto dei verbi regolari
- L'imperativo diretto nei verbi irregolari *andare, dare, dire, fare, stare*
- L'imperativo negativo
- L'imperativo negativo con i pronomi diretti e indiretti

Civiltà

- La musica in Italia

Materiale necessario

- Prima parte, **A3**: una fotocopia per ogni studente dell'attività a pagina 47
- Prima parte, **A5**: una fotocopia per ogni studente dell'attività a pagina 48

Per cominciare...

Fate delle ipotesi sul titolo dell'unità. Cosa significa "l'ora della verità?" Per quale motivo, secondo voi, è stata scelta proprio questa espressione come titolo dell'unità 6?

1 Se lo ritenete, potete introdurre l'unità facendo ascoltare qualche canzone italiana di genere diverso. Chiedete quindi ai vostri studenti di esprimere le proprie idee in fatto di musica e di indicare, utilizzando la tabella, il proprio genere musicale preferito: date anche voi il vostro parere! Discutete i risultati con la classe.

2 Chiedete agli studenti di indicare quali sono, a loro avviso, i gruppi o i cantanti più validi al mo-

mento; fate in modo che tutti possano esprimere la propria idea e discuterla con i compagni.

3 Introducete oralmente il dialogo specificando che si tratta di una conversazione tra Chiara, Giulia, Paolo e Dino; parlano della fase finale del concorso: cosa si diranno? Proponete ora l'ascolto del dialogo e chiedete a qualche studente di indicare molto brevemente quello che ha capito. Fate voi un confronto con quanto ipotizzato prima dell'ascolto.

4 Riascoltate e indicate quali delle frasi elencate corrispondono al dialogo.
Soluzione: 1, 3, 5, 7, 8

Prima parte

A Cerca di esserci!

1 Leggete con la classe le parole date, che sono in ordine sparso e sovrabbondanti; chiedete agli studenti di lavorare in coppia per inserirle opportunamente nel dialogo completandolo. Come verifica, procedete al riascolto del dialogo.

Soluzione: in forma, stressato, sostituirlo, vederci, esserci, mancare, scusate

Per esercitare il lessico, chiedete agli studenti di scegliere tre parole tra quelle date per il completamento e di formare con esse altrettante frasi. Leggetele insieme come verifica.

2 Fate riassumere il dialogo oralmente agli studenti attraverso l'osservazione e la descrizione delle vignette.

Se lo ritenete compatibile con i tempi della vostra programmazione, proponete una discussione in classe su situazioni simili che si siano verificate ai vostri studenti: farsi male o non sentirsi bene alla vigilia di un appuntamento molto importante e dover rinunciare o farvi fronte con molta fatica. È successo a qualcuno di loro? Di quale situazione si trattava? Come si è risolta?

3 Leggete con la classe le espressioni riportate e chiedete agli studenti, lavorando in coppia, di individuare a quali frasi del dialogo corrispondano, tra quelle evidenziate in blu.
Soluzione:
Portare qualcuno da qualche parte → darti un passaggio
In cattive condizioni → fuori uso
Fare del proprio meglio → farò il possibile
Riuscire a fare qualcosa → ce la farai
Avere un incidente che provoca dolore → ti sei fatto male
Non dare fastidio a qualcuno → lascialo stare

Attività di rinforzo

Leggete con attenzione alla classe le frasi sopraelencate e discutetene il significato. Consegnate poi a ciascuno studente una fotocopia di pagina 47 e chiedete di completare l'esercizio utilizzando queste espressioni, come nell'esempio.
Soluzione: 1. fatto il possibile, 2. ce la farai, 3. fuori uso, 4. darci un passaggio, 5. sono fatto male
Soluzione mail: 1. sei fatto male, 2. fuori uso, 3. farò il possibile, 4. darmi un passaggio, 5. ce la farai

4 Leggete con la classe gli sms incompleti e chiedete agli studenti di completarli con le parole date.
Soluzione: 1. andiamo, 2. non scherzare, 3. calmati, 4. cerca, 5. cercate, 6. prendi

5 Leggete la tabella e completatela con la classe inserendo i verbi mancanti desunti dalla precedente attività.
Soluzione: cercate, prendi

Spiegate alla classe che
- l'imperativo è un modo del sistema verbale italiano che serve per esprimere un comando, un ordine:
  Stai (*sta'*) fermo! / *Chiudi* la finestra!
  ma anche un invito e un suggerimento:
  Per cortesia, *aspetta* qui! /
  Leggi ancora qualche riga!
- L'imperativo ha solo il tempo presente e tre persone: seconda singolare (tu), prima plurale (noi), seconda plurale (voi).

L'imperativo è un modo usato con una certa frequenza nell'italiano parlato e scritto; talvolta viene sentita la necessità di attenuarne la carica "aggressiva" con espressioni di cortesia, come ad esempio *per piacere*, *se possibile*, *ti prego*, *per favore*, *su*, *dai*…
L'imperativo è anche il modo utilizzato per dare istruzioni operative, ad esempio nei foglietti illustrativi di apparecchiature o nei bugiardini dei medicinali; le ricette di cucina fanno spesso ampio ricorso a questo modo verbale.

Attività di rinforzo

Questa attività consente ai vostri studenti di confrontarsi direttamente con l'uso dell'imperativo in italiano. Potete scegliere se svolgere l'attività insieme in classe o assegnarla agli studenti per casa, con successiva restituzione individuale o correzione di gruppo.
Consegnate agli studenti una copia di pagina 48 e proponete la soluzione del lavoro. Dopo aver analizzato la ricetta italiana, assegnate agli studenti il compito di scrivere una semplice ricetta del loro Paese utilizzando quanti più verbi possibili coniugati all'imperativo. Leggete le ricette in classe dopo averle corrette.
Soluzione: Pela (pelare), Tagliali (tagliare), Trita (tritare), sbuccia (sbucciare), Fai (fare), butta (buttare), Fai, soffriggi (soffriggere), abbassa (abbassare), Aggiungi (aggiungere), Lascia (lasciare), Metti (mettere), abbassa, lascia, aggiungi, aggiusta (aggiustare), lascia, Cospargi (cospargere), Lessa (lessare), versa (versare)

6 Leggete i verbi dati in ordine sparso e chiedete di inserirli per completare opportunamente le frasi.
Soluzione: studia, uscite, spegni, venite, fate

7 Fate notare alla classe che in presenza di un verbo coniugato all'imperativo (come anche all'infinito) il pronome si attacca alla fine del

verbo dopo la sua desinenza:

Indicativo	Imperativo	Infinito
Tutte le mattine preparo il caffè e **lo** bevo prima di uscire.	Prepara il caffè e bevi**lo** prima di uscire!	Tutte le mattine vuole preparare il caffè e ber**lo** prima di uscire.

Leggete le frasi e completatele con gli opportuni pronomi mancanti.
Soluzione: 1. la, 2. gli, 3. ti, 4. ne

B Usi dell'imperativo

1/2 Osservate le immagini e chiedete a qualche studente di descriverle brevemente. Provate a ipotizzare a quale delle due immagini non corrisponderà una frase imperativa e perché.
Verificate ascoltando le frasi e chiedete di abbinarle alle immagini. Chiedete poi agli studenti di individuare a quali funzioni, tra quelle presentate nella tabella, corrispondono le frasi.
Soluzioni in senso orario dall'alto a sinistra: c, d, a, h, b, g

3 Fate riordinare le parole per formare frasi di senso compiuto e chiedete di classificare le frasi in base alle funzioni della tabella precedente.
Soluzione: 1. Quando entrate in classe spegnete il cellulare! - Ordine, 2. Se questa maglietta ti sta bene, comprala! - Consiglio, 3. Vivi una magica esperienza, vieni in Toscana! - Pubblicità, 4. Non gettate qui rifiuti, solo carta! - Proibizione, 5. Seleziona l'immagine poi cliccate su "stampa"! - Istruzione

4 Proponete questo gioco a coppie di studenti: utilizzando i verbi dati che devono essere coniugati all'imperativo, a turno gli studenti formano delle frasi per esprimere funzioni come quelle analizzate nella precedente attività. Per ogni frase corretta ciascuno studente

appone il suo simbolo sulla griglia cercando di realizzare un tris per primo.

5 Proponete la lettura e completate la tabella con le forme mancanti (*non gettate, non credere, non apriamo*). Fate osservare la particolarità di questa forma e chiedete alla classe di ipotizzarne la funzione. Dopo aver ascoltato le ipotesi degli studenti, spiegate loro che si tratta della forma negativa dell'imperativo. Si noterà che l'imperativo negativo si forma:
- per la **seconda persona singolare** (tu) con **non + l'infinito** del verbo.
- per la **prima e la seconda persona plurale** (noi, voi) con **non + l'imperativo** del verbo.

	Imperativo	Imperativo negativo
tu	mangia	non mangiare
noi	mangiamo	non mangiamo
voi	mangiate	non mangiate

6 Proponete alla classe questa serie di istruzioni/raccomandazioni fornite a proposito di un lettore MP3. Chiedete a ciascuno studente di completarle coniugando i verbi alla persona appropriata e aggiungendo, se necessaria, la negazione *non*.
Soluzione: non portare le cuffie sulla bici; non ascoltare a lungo ad alto volume; non scollegare mentre è in corso la sincronizzazione; non usare in classe; premi il tasto rosso per spegnere
Chiedete ora alla classe altre istruzioni o avvertenze. Se lo ritenete, potete chiedere agli studenti di lavorare in coppie per scrivere un elenco di istruzioni sull'uso di varie apparecchiature o elettrodomestici, come ad esempio il computer, la videocamera, il forno a microonde eccetera.
Potete anche chiedere agli studenti di stilare un "decalogo" per il buon comportamento in aula, naturalmente usando sempre imperativo e imperativo negativo.

Seconda parte

A Non ci prendere in giro!

1 Fate osservare le vignette e descrivete l'abbigliamento dei personaggi raffigurati, la band, il presentatore, Paolo. Chiedete poi agli studenti

di ipotizzare il contenuto e la fine del racconto. Procedete poi a un ascolto del dialogo e verificate insieme la correttezza delle supposizioni.

2 Leggete le domande e riascoltate il dialogo. Chiedete poi agli studenti di lavorare in coppia

per individuare le affermazioni corrette.
Soluzione: 1. a, 2. a, 3. b, 4. b

3 Tornate sul testo del dialogo e fate osservare le espressioni scritte in blu; chiedete agli studenti di indicare cosa notano. Si tratta della costruzione dell'imperativo negativo con i pronomi, che possono essere posti prima del verbo o dopo la sua desinenza. Completate insieme la tabella: *mi, ti*
Osservate l'espressione **prendere in giro** e spiegate alla classe che si tratta di una forma molto usata in italiano che significa *burlarsi, canzonare* cioè *prendersi gioco di un'altra persona*, sia in modo benevolo, sia con cattiveria. Può essere sostituita da *prendere per il naso* e da altre simili, ma più volgari.
Soluzione: Non prendermi in giro!; Non vi preoccupate!

4 Osservate l'esempio e fate rispondere alle domande seguendo il modello.
Soluzione: 1. Telefonatele! / Non telefonatele! / Non le telefonate!, 2. Prendila! / Non prenderla! / Non la prendere!, 3. Comprateli! / Non comprateli! / Non li comprate!, 4. Alzatevi! / Non alzatevi! / Non vi alzate!

B Gira a destra!

1/2 L'imperativo serve anche per dare indicazioni stradali. Osservate l'immagine con la classe, ascoltate i minidialoghi e chiedete agli studenti di indicare quali indicazioni hanno effettivamente sentito.
Soluzione: *gira a destra, poi gira subito, gira a sinistra, al primo incrocio*
Fate riascoltare e chiedete agli studenti se le indicazioni sono relative alla cartina 1 o 2.
Soluzione: dialogo a, cartina 2, dialogo b, cartina 1, dialogo c, non c'è cartina

3 Role play

A coppie gli studenti danno/chiedono indicazioni stradali, utilizzando la pianta, per muoversi tra i punti indicati dall'attività.

Attività di rinforzo

Scaricate da internet le cartine dei centri storici di altre famose città italiane, come Firenze, Venezia, Milano, Siena, Bologna, Napoli, Aosta, Torino, Palermo eccetera. Stampatele e segnate in rosso due monumenti o luoghi significativi di ciascuna città situati a una certa distanza tra loro. Consegnatene una a ciascuno e chiedete di indicare sul retro le indicazioni per andare a piedi da un luogo all'altro, una volta facendo la strada più breve e un'altra quella più lunga. Correggete il lavoro e riconsegnatelo individualmente agli studenti. Questa attività può anche essere assegnata come compito da eseguire a casa.

4 Chiedete agli studenti di individuare gli infiniti di dimmi e va'. Compilate poi la tabella con le forme mancanti: *da', di', vacci, fallo*
Spiegate che si tratta della coniugazione del modo imperativo per questi verbi irregolari, molto frequenti; dopo aver riletto la tabella del libro, ricopiate alla lavagna le forme imperative dei più frequenti verbi irregolari, chiedendo agli studenti di prenderne nota sul quaderno.

	ANDARE	DARE	DIRE	FARE	STARE
tu	va' / vai	da' /dai	di'	fa' / fai	sta' / stai
noi	andiamo	diamo	diciamo	facciamo	stiamo
voi	andate	date	dite	fate	state

Fate notare agli studenti che le forme con l'apostrofo (imperativi tronchi) convivono con le forme estese degli stessi verbi, ad eccezione del verbo *dire*. Sottolineate che il segno grafico che distingue queste forme è un apostrofo e non un accento.

C La verità della musica!

1/2 Proponete agli studenti in coppia di fare questo test scegliendo una batteria di domande (rossa o blu) e impostando casualmente le risposte, con l'aiuto di titoli di canzoni "rivelatori". Chiedete che gli studenti leggano al resto della classe le risposte che sono risultate più divertenti. Se il test ha avuto successo, proponete agli studenti di riprovarci con l'altra batteria di domande.

D Vocabolario e abilità

1 Leggete le frasi incomplete e le parole mancanti. Chiedete a ciascuno studente di com-

pletare il testo adeguatamente. Leggete insieme per verificare le soluzioni.
Soluzione: 1. tournée, 2. cantante, 3. testi, 4. suona, 5. festival, 6. Laura

3 Proponete le tracce alla classe e avviate una discussione sulla musica tra i vostri studenti.

Role play

4 In questa attività viene simulata la situazione di due persone che discutono a proposito del regalo ad un amico. Chiedete a studenti, in coppia, di assumere a turno il ruolo di A e B, di fare proposte e controproposte seguendo le indicazioni.

5 Chiedete a ciascuno studente di elaborare due testi scritti seguendo le tracce date; procedete poi alla correzione e alla restituzione individuale.

Conosciamo l'ITALIA

Musica italiana

I testi riportati parlano di alcuni tra i cantanti italiani più famosi; leggeteli e spiegate eventuali termini sconosciuti. Se volete approfondire un po' di lessico potete proporre alla classe una griglia di classificazione delle parole che in questi testi si riferiscono al mondo della musica, chiedendo ai vostri studenti di suddividerli per categorie grammaticali, in nomi comuni, aggettivi (al singolare) e verbi (all'infinito). A questo scopo vi potrà essere utile disegnare una tabella alla lavagna e chiedere agli studenti di ricopiarla sui propri quaderni.

LE PAROLE ... DEI CANTANTI		
NOMI COMUNI	**AGGETTIVI**	**VERBI**
il disco la classifica l'artista (maschile e femminile) il successo la canzone il/la cantante il/la dj il rap il cantautore/la cantautrice l'idolo la voce il concerto la leggenda la musica il testo il gruppo	famoso ritmico melodico amatissimo musicale conosciuto	conquistare collaborare appassionare comporre

Chiedete ora agli studenti di lavorare in coppie o singolarmente per comporre un testo di 35/45 parole, simile a quelli della pagine 88-89, che descrive il proprio gruppo/cantante preferito, naturalmente utilizzando opportunamente le parole della tabella!

Prima parte, A3

Attività di rinforzo

Completate le frasi con le espressioni in blu dell'attività A3 opportunamente modificate.

*Esempio: Chiara verrà a scuola in taxi perché ha un piede **fuori uso** e non può camminare.*

1) Anche se abbiamo .... non so se riusciremo a vincere il concorso.

2) L'esame non è facile, ma non preoccuparti: .... !

3) La mia bici è .... ; per venire al concerto prenderò un autobus.

4) Ho chiesto a mio padre di .... in macchina per andare a scuola.

5) Mentre correvo nel parco, ho inciampato in un sasso, sono caduto e mi .... a un ginocchio.

Ora leggete questa mail di Dino e completate la risposta di Paolo riutilizzando le espressioni dell'esercizio precedente.

Ciao Paolo! Certo proprio mi dispiace aver avuto quell'incidente correndo; ora ho un forte dolore al ginocchio, ma, cosa più brutta ancora, ho una gran paura di non poter andare al concorso. Ho sentito che tu non ci sarai: è vero?

A dopo, Dino

Ehi, Dino! Cosa dici? Non è colpa tua se sei caduto e ti (1).. *al ginocchio! Comunque, non essere così triste: vedrai che per il concerto non sarai più* (2).. *Io forse devo giocare una partita importante proprio quella sera ma* (3).. *per esserci; magari chiederò al mio allenatore di* (4).. *o prenderò un taxi. Dai, grinta! Sono sicuro che* (5)..!

Ciao, Paolo

Prima parte, A5

Attività di rinforzo

Leggete la ricetta e individuate i verbi coniugati all'imperativo; trascrivete gli imperativi nella tabella, risalite agli infiniti corrispondenti e scriveteli nello spazio accanto.

Fettuccine al sugo di funghi e pomodoro

Ingredienti *(per 4 persone)*
1 scatola di fettuccine da 500 gr
500 gr di pomodori ramati
2 cipolle rosse di grosse dimensioni
100 gr di funghi porcini secchi
3 rametti di prezzemolo
1/2 limone
2 spicchi d'aglio
sale
pepe

Preparazione

Come prepari le fettuccine al sugo di pomodoro e funghi? Pela i pomodori (per farlo facilmente puoi cuocerli per qualche minuto nell'acqua bollente dopo aver praticato un taglio a croce). Tagliali a pezzetti. Trita al velo le cipolle e sbuccia lo spicchio d'aglio. Fai rivenire i funghi in acqua bollente per 5 minuti e poi butta via l'acqua. Fai scaldare 3 cucchiai di olio d'oliva in una padella larga a fuoco medio. A questo punto soffriggi la cipolla senza farla bruciare, eventualmente abbassa la fiamma. Aggiungi i pomodori e gli spicchi d'aglio interi. Lascia cuocere una dozzina di minuti stando attenti che la salsa non attacchi. Metti il coperchio, abbassa la fiamma al minimo e lascia sobbollire per altri dieci minuti. A questo punto aggiungi i funghi, aggiusta di sale e pepe e lascia sul fuoco ancora dieci minuti. Cospargi tutto con il prezzemolo. Lessa le fettuccine in abbondante acqua salata e versa sopra il sugo ai funghi.

VERBO AL MODO IMPERATIVO

VERBO AL MODO INFINITO

Ingredienti

....

....

....

....

....

....

Preparazione

....

....

....

....

....

....

....

....

....

....

....

....

Unità 1 Progetti extrascolastici

Prima parte

1 Per cominciare... 2

Prof: Ragazzi, oggi, come prima lezione, parleremo dei progetti extracurricolari che organizzeremo quest'anno, bene?

Giulia: Perfetto, iniziamo l'anno con qualcosa di interessante!

Prof: Ok... dunque, quest'anno la nostra scuola parteciperà ai seguenti progetti: il gemellaggio con una scuola straniera...

Alessia: "Speriamo una di Parigi, ci vorrei tanto andare..."

Prof: ...un progetto di educazione ambientale...

Chiara: "Bello! Potremo pulire un bosco! Magari quello vicino a casa mia."

Prof: ...un concorso musicale tra le scuole della città...

Paolo: Un concorso?! E come sarà?

Prof: Ah, vedo che c'è già interesse! Ogni scuola sceglierà un gruppo musicale. Alla gara finale, a maggio, ogni gruppo canterà una canzone!

Dino: Forte questo progetto! Mi piace!

Prof: Ma tu Dino, canti... sai suonare qualche strumento?

Dino: Io? Ma io sarò il manager del gruppo! Quindi potete stare tranquilli: vinceremo noi!

2 Esercizio 2

Vedi traccia precedente.

Seconda parte

3 A2

Chiara: Raga, bisogna decidere! Ecologia, arte, gemellaggio o musica?

Dino: Vogliamo formare questo gruppo musicale o no? Dai, sarà molto divertente!

Giulia: Se siamo bravi, sì. E se facciamo una brutta figura?

Alessia: Questo è vero, non sarà facilissimo.

Voglio dire... non abbiamo mai provato.

Dino: Però Giulia è brava con la chitarra. E tu Alessia hai la batteria, vero?

Alessia: Certo, ogni tanto suono... E tu Chiara? Pensi che potrai suonare il basso?

Chiara: Mah, so leggere le note e suonare un po' la chitarra, tutto qui. Ma il basso non è tanto difficile.

Giulia: Infatti, secondo me la cosa più difficile è cantare bene. Chi ci vuole provare?

Paolo: Io, prima di scegliere il calcio, ho fatto tre anni di conservatorio.

Alessia: E così la musica ha perso una grande stella!

Dino: Ma quando il concorso sarà finito, saremo tutti delle stelle! A proposito di stelle, secondo l'oroscopo, questo è il mio anno fortunato!

Paolo: Appunto: il tuo, ma il nostro? Non so ragazzi. Forse ci dobbiamo pensare meglio...

4 B3

Sagittario - È il tuo periodo fortunato, ma non durerà molto. Sfrutta le occasioni e prendi sul serio i consigli del prof. Questo mese devi studiare di più!

Toro - Arriva un periodo bellissimo dove avrai l'occasione di vedere realizzare un sogno che ti sta a cuore. Cerca di agire in amore e di farti valere a scuola!

Scorpione - Questo è un mese particolarmente nervoso per te: fai attenzione a quello che dici! Cerca di superare la tua insicurezza e passa più tempo con gli amici.

Pesci - Ottobre è un mese un po' difficile: soprattutto a scuola cerca di non essere tanto distratto. Cerca anche di allontanare i pensieri negativi: discutere fa sempre bene.

Leone - Avrai tanta voglia di fare ma le stelle non sono del tutto positive. Meglio aspettare e trascorrere ottobre in tutta tranquillità...

Vergine - Ottobre ti porta l'amore e la felicità! Le stelle ti donano tante occasioni, ma da te dipende sfruttarle. Non cercare sempre la perfezione: fai quello che puoi!

5 Esercizio 14

- La tua scuola/classe, quest'anno, ha partecipato a qualche progetto extracurricolare?
- Beh... negli ultimi due anni, niente. Il primo anno di scuola media c'è stata... abbiamo fatto dei rientri di teatro e anche durante l'orario scolastico che... con la nostra professoressa d'italiano e la prof di sostegno abbiamo scelto tre favole e tre miti e abbiamo realizzato una recita e l'abbiamo esposta ai nostri genitori e agli altri compagni.
- A quale iniziativa ti piacerebbe partecipare in futuro?
- Mi piacerebbe molto partecipare a progetti d'intercultura, scambi culturali tra ragazzi di diversi paesi.
- Cosa vorresti fare?
- Conoscere la lingua e conoscere le tradizioni dei paesi stranieri.
- Quale fra questi tre progetti ti sembra più interessante e perché? Il gemellaggio con una scuola all'estero; un concorso tra gruppi musicali scolastici; un'iniziativa per la salvaguardia dell'ambiente.
- Un concorso tra gruppi musicali scolastici, perché credo che puntando più sul divertimento, le cose meno pesanti, i ragazzi secondo me sono molto più legati e si trovano molto meglio.
- L'attività didattica con la scuola estera; perché si conoscono nuovi amici, puoi fare nuove amicizie e magari ci potresti anche andare a studiare in un anno prossimo.
- Mi piacerebbe un concorso musicale tra... con le altre scuole perché mi... così anche per sentire musiche diverse.

Unità 2 Televisione

Prima parte

6 Per cominciare... 3

Paolo: Io no, avevo una partita e sono tornato alle 10. Ma cominciava ieri? Non lo sapevo!

Paolo: Mah! Sai, io tornavo sempre tardi e riuscivo a vedere solo la fine.

Paolo: Ma com'è finito il primo ciclo? Se non sbaglio, Mario era innamorato della ragazza, vero?

Paolo: Cantare? Ma lei non suonava la tastiera?

Paolo: Già, molto carina! Alla fine hanno vinto al concorso?

Paolo: Ah... e ieri cos'è successo?

Paolo: Un contratto! Queste cose succedono solo in tv! Meno male che ho perso la puntata di ieri!

7 Per cominciare... 4

Giulia: Raga, avete visto ieri l'inizio del secondo ciclo di "Cantare"?

Paolo: Io no, avevo una partita e sono tornato alle 10. Ma cominciava ieri? Non lo sapevo!

Giulia: Davvero?! Io, invece, non vedevo l'ora! Secondo me, è il telefilm più bello degli ultimi anni!

Paolo: Mah! Sai, io tornavo sempre tardi e riuscivo a vedere solo la fine.

Alessia: Beh, così non puoi capire molto... Peccato, hai perso proprio una bella storia.

Paolo: Ma com'è finito il primo ciclo? Se non sbaglio, Mario era innamorato della ragazza, vero?

Alessia: Sì, Nadia. Alla fine hanno deciso di cantare insieme al concerto.

Paolo: Cantare? Ma lei non suonava la tastiera?

Alessia: No no, quella era Sara, la biondina. Nadia aveva i capelli neri.

Paolo: Già, molto carina! Alla fine hanno vinto al concorso?

Giulia: No, perché mentre cantavano, Mario ha dimenticato le parole! Così sono arrivati terzi!

Paolo: Ah... e ieri cos'è successo?

Giulia: Una casa discografica ha offerto a Mario un contratto, ma lui ha detto che preferiva rimanere con Nadia e con il gruppo!

Paolo: Un contratto! Queste cose succedono solo in tv! Meno male che ho perso la puntata di ieri!

8 B1

1. • Secondo me, Carlo è innamorato di Angela.
   • Sì, credo anch'io. Ormai è quasi ovvio!
2. • Ieri alla partita dovevamo vincere noi!

- Non è vero! Nel secondo tempo abbiamo giocato molto meglio!

3. • Il nuovo modello della Nokia è fantastico. Però mamma mia quanto è caro!
   • Sono d'accordo! 500 euro per un cellulare?!

4. • Ma che fanno?! Dopo 20 minuti di pubblicità non ricordo più cosa volevo vedere!
   • Hai ragione! Rete 4 è il canale peggiore, la pubblicità non finisce mai!

5. • Non sarà bravissimo come attore, ma è veramente bello!
   • Non è bravo Alessandro Gassman?! Non sono per niente d'accordo!

6. • Oggi Simonetta dormiva durante la lezione! Forse ieri è tornata tardi...
   • Non penso... avrà dormito male la notte, chissà...

9 **Esercizio 10**

Produttore: Buongiorno. Come si chiama?

Francesca: Buongiorno. Mi chiamo Francesca.

Produttore: Va bene, Francesca. Lei ha già fatto un provino con noi?

Francesca: No. L'anno scorso venivo ogni tanto a guardare i provini, ma non ho mai partecipato.

Produttore: Lei ha frequentato corsi di canto, recitazione, o ballo?

Francesca: No, ma quando ero piccola facevo parte di un piccolo gruppo teatrale. Io e le mie compagne facevamo prova di recitazione tutti i giorni dopo la scuola!

Produttore: Benissimo. Allora, cominciamo!

Seconda parte

10 **A2**

Alessia: Allora, bisogna decidere una volta per tutte.

Dino: Io ho deciso, un cono al cappuccino...

Alessia: Ma no, Dino, parlo del concorso! Domani la prof vuole una risposta.

Giulia: Io ci sto. Anzi, vedrete che il 23 maggio andrà tutto bene!

Paolo: Come il 23 maggio?! Sei sicura?

Giulia: Sì! Non hai visto il programma?

Paolo: Sì, ma non ci avevo fatto caso! Il 23 maggio finisce il nostro campionato!

Chiara: Dai Paolo! Che differenza fa una partita in più o in meno?

Paolo: Ma sarà proprio l'ultima partita, forse la più importante dell'anno!

Chiara: Ragazzi, senza Paolo non c'è gruppo! Nessuno di noi canta bene...

Alessia: A meno che... Dino, tu alle elementari non cantavi nel coro?

Dino: Certo, ero anche bravo... Oh, perché, cosa hai in mente?

Alessia: Raga, o Dino o niente concorso!

Dino: Ma dite sul serio? Non ci avevo nemmeno pensato... Accidenti!

Giulia: Ma certo! Ricordate *Cantare*? In un episodio era successo lo stesso!

Dino: Giulia, non è mica un telefilm questo... è da anni che non canto.

Paolo: Dai Dino, è l'unica soluzione. Ce la farai! Ragazzi, scusate! Io avevo deciso di partecipare, ma sapete che il calcio è la mia vita.

11 **B2**

Cesare: Ciao, amore! Come stai?

Cleopatra: Così e così, tu? Non ti sento bene.

Cesare: Sono questi cellulari che non ricevono ancora bene. E pensare che siamo quasi all'anno zero!

Cleopatra: Pazienza, Giulio! Allora, cosa hai fatto ieri?

Cesare: Niente, ho guardato la tv.

Cleopatra: Cos'hai visto?

Cesare: Mah, le solite cose: ho guardato una puntata di Asterix, anche se mi è antipatico.

Cleopatra: A me, invece, Asterix piace. È così carino... Poi?

Cesare: C'era un documentario che avevo già visto, ma soprattutto c'era la finale di Champions League tra Roma e Cartagine. Abbiamo vinto... Forza Romaaa!

Cleopatra: Forza Roma! Hmm... bello slogan! Poi, che altro c'era?

Cesare: Un reality e una soap opera che a me non piacciono affatto. *Lo so io!*, però, è il mio quiz preferito, non lo perdo mai!

Cleopatra: Beh, anche a me piace.

Cesare: Poi ho visto un'intervista a Marco Antonio di Cicerone. Bravo ragazzo Antonio, lo devi conoscere!

Cleopatra: Lo sai che mi interessi solo tu, amore.

Cesare: Lo so! In tarda serata c'era anche un film di fantascienza: La scoperta dell'America. Ma che cos'è questa America?

Cleopatra: È un continente che, secondo la leggenda, è oltre il Mar Mediterraneo!

Cesare: Incredibile! Ma come le pensano queste cose? Insomma, la tv romana fa schifo!

Cleopatra: Speriamo che qualcuno inventerà l'MTV!

12 C3

• Quante ore al giorno passi davanti alla tv?
- Dalle due alle tre ore.
- Due orette, massimo tre se non c'ho niente da fare.
- Circa un'ora al giorno.
• Generalmente che cosa pensi della televisione italiana?
- Che tutto sommato i programmi televisivi sono ancora accettabili, ma ci sono troppe pubblicità e anche magari non adeguate.
- Mah, la televisione italiana è abbastanza effi-ciente, i programmi li fanno belli; seguo molto i programmi italiani, come *Chi vuol essere milionario?*
- La televisione italiana credo sia molto varia; molti programmi sono di alta qualità e molto educativi; altri invece inviano messaggi sbagliati.
• Che cosa ti piace e cosa non ti piace?
- Mi piacciono in particolare i telefilm e anche i cartoni animati, invece non mi piacciono molto i film vecchi, o anche documentari vari.
- Della tv mi piace... mi piacciono molte cose; per esempio a partire dai canali di sport, per altre cose per i cartoni. Generalmente, mi piacciono tutti i canali, ma l'unica cosa è che non mi piace un programma che c'è su Rete 4.
- Mi piacciono molto i reality show, le trasmissioni sportive. Non mi piacciono alcuni programmi musicali e alcuni cartoni animati attuali.

Unità 3 Ambiente ed ecologia

Prima parte

13 Per cominciare... 3

Alessia: Ok, ora che abbiamo deciso di partecipare al concorso che facciamo?

Chiara: Il prossimo passo sarà scegliere una o due canzoni e poi...

Giulia: ...cominciare le prove! A proposito, raga, le prove dove le facciamo? Mica possiamo farle a scuola.

Dino: Infatti... io ho un'idea: possiamo andare alla casa che hanno i miei in campagna! Lì non daremo fastidio a nessuno.

Chiara: Bravo Dino! Lo sapevo che potevamo contare su di te! A volte hai delle illuminazioni!

Dino: Non a volte... sempre. Possiamo anche usare la tastiera di mio padre!

Alessia: Tuo padre suona la tastiera?!

Dino: La suonava da giovane. Qualche anno fa l'ha regalata a me, ma io non sono molto portato...

Paolo: Ma certo che sei portato per la tastiera... quella del computer! (hehe). Non ti ho mai visto suonare uno strumento musicale...

Dino: Però mi vedrai cantare! Comunque, questa tastiera non sarà nuovissima, ma forse la possiamo usare anche al concorso.

Alessia: Magari... Allora dov'è questa casa?

Dino: È vicino a Sesto Fiorentino, praticamente in mezzo al verde.

Giulia: Io ci sono stata, è bellissima. Ma come ci andiamo, Dino?

Dino: Forse ci può portare mio padre... Lo devo ancora convincere.

Paolo: Non sarà difficile... se capisce che da questo dipende la tua carriera di cantante...

Dino: Infatti, pensavo la stessa cosa!

14 B1

a. Guarda quanta gente usa l'auto invece dei mezzi pubblici! Che peccato!
b. Che rabbia! Ho prestato a Luca la mia bici e adesso è in ritardo!
c. Che bella giornata! Oggi sì che possiamo fare una passeggiata a cavallo.
d. Mannaggia! Ho dimenticato di caricare la batteria del mio cellulare!
e. Che bello! Domenica andrò allo stadio a vedere la partita!
f. • Hai sentito? Jovanotti verrà per un concerto a maggio!
   • Che bella notizia! Sai che ne vado matta!
g. Accidenti! Non riesco a trovare le mie chiavi!

Seconda parte

14 A1

Giulia: Dai, cominciamo. Quale canzone proviamo prima?

Alessia: Scusate ragazzi, ma perché non troviamo una canzone che parla dei problemi ambientali? Da stamattina ci penso continuamente.

Chiara: Alessia ha ragione. È strano essere qui, in mezzo al verde e cantare la solita canzone d'amore.

Dino: Bella idea, una canzone sull'ambiente! Ma ne esiste una?

Alessia: Io ne conosco una, ma è un po' vecchia: *Il ragazzo della via Gluck*, di Celentano.

Giulia: Già... è degli anni '60, vero?

Dino: Credo di sì, mio padre ha proprio il disco.

Chiara: Il disco? Ragazzi, io un disco non l'ho mai visto! Comunque, ci sarà una canzone più moderna, dai.

Giulia: Mi sa che Ligabue ne ha una! Fa... "soffia il vento", qualcosa del genere. Dino, la puoi cercare su Internet col cellulare?

Dino: Vediamo... Ligabue... vento... l'ho trovata: *Eppure soffia*.

Alessia: Ah, l'ho sentita, è molto bella. Ma è un po' lenta, no?

Giulia: Mi sa di sì. Non importa, noi la canteremo in versione rock!

Dino: Ma per cambiarla dobbiamo fare molte prove, non è facile.

Chiara: Nemmeno impossibile. I versi li hai trovati?

Dino: Sì, ma qui non posso stamparli. Però possiamo ascoltarla un paio di volte e scriverli.

Alessia: Ah, l'hai trovata su youtube... Dai, che aspetti?

16 B2

1. • Domani devo consegnare questo compito. Non credo che farò in tempo.
   • Ti posso aiutare?
   • No, grazie! Purtroppo non puoi aiutarmi.
2. • Vuoi una mano con le borse, mamma? Ne posso portare un paio io.
   • Grazie, cara! Meno male che sei qui!
3. • Signorina, ha dei problemi col motorino? La posso aiutare?
   • Grazie, ma credo di poter fare da sola.
4. • Ho finito. Hai bisogno di aiuto?
   • Volentieri! Sai la risposta alla terza domanda?
5. • Ti vedo un po' giù oggi. Posso fare qualcosa?
   • Grazie, non è niente. Sono solo di cattivo umore.
6. • Se vuoi ti posso dare io un biglietto per l'autobus, la macchinetta non funziona.
   • Grazie, molto gentile! Però devo comprarne uno anche per il ritorno.

17 D1

• Secondo te, è meglio vivere in città o in campagna?

- In città. Perché ci sono... a differenza della campagna, in città se hai bisogno di spostarti da una parte all'altra, oppure se hai bisogno di un certo negozio, li trovi. Anche se l'aria magari può essere più inquinata.

- In città. Perché... dipende dalle abitudini che hai: se vivi in campagna, se sei nato in campagna, per te è meglio la campagna; se sei nato in città, è meglio la città, dipende.

- In città. Perché io... a me piacciono un sacco i negozi, centri commerciali, anche andare al cinema, per cui la città è...

- In città. Perché in città, cioè, puoi fare più cose che in campagna non puoi fare, e poi dipende se uno nasce in campagna o nasce in città, le sue preferenze. Io sono nato in città e mi piace di più la città.

• Hai un animale domestico?

- Ho due cani: Molly e Black. Sono piccolini e sono dei Jack Russell che sono bassi e... corti! Tipo dei bassotti, però un po' più corti.

- Avevo il cane, ma è morto. Adesso ho il gatto: Smacky.

- No. Perché a mia mamma e a mio papà non piace.

- Sì, il gatto: Zenzero.

• Ti occupi tu degli animali in casa?

- Gli do da mangiare, gli cambio l'acqua e... per uscire li porta papà fuori la mattina.

- No, non mi occupo io, si occupa mia madre. Ci gioco e basta, io. Gioco con la pallina. Gli lancio la pallina e lui la va a prendere. Ci gioca.

Unità 4 Facciamo spese

Prima parte

18 Per cominciare... 3

Alessia: Ragazze, che ne dite di andare a fare spese domani?

Giulia: A che ora? Io vorrei svegliarmi tardi domattina. Mi sento un po' stanca.

Alessia: Possiamo incontrarci verso le 10.30, così ti svegli anche alle 9.30 se vuoi. Dai, ci divertiremo!

Chiara: Io ci sto. Dove andiamo?

Alessia: Al nuovo centro commerciale, sai quello che si trova dietro il Duomo.

Giulia: Bene, mi avete convinta. Ma tu vuoi comprare qualcosa in particolare?

Alessia: Veramente sì, un paio di scarpe. Poi giriamo, mangiamo, sai.

Chiara: Ho un'idea: perché non cerchiamo anche qualcosa per il concorso? Non abbiamo detto che ci vestiamo tutti allo stesso modo?

Giulia: Giusto, anche se è un po' presto. Hai qualche idea?

Chiara: Non so, siamo una rock band, possiamo vestirci tutti di nero, no?

Alessia: Nero?! Mah, a me il nero non piace proprio. Perché non tutti di bianco?

Giulia: Sì, la band della gelateria! Macchè... dai troviamo un colore che piace a tutti.

Chiara: Magari jeans blu e magliette bianche... con sopra il nome del nostro gruppo!

Alessia: È un'idea. A proposito, un nome non l'abbiamo ancora trovato...

Giulia: C'è tempo per questo. Allora, domani a che ora ci diamo appuntamento? Alle 11 e mezza?

Alessia
e *Chiara*: Alle 10 e mezza!!!

19 B1

a. • Ecco il giubbotto che mi piace. Che ne pensi?
   • Bello! Quanto costa?
   • 120 euro.
   • Mah! Secondo me, è un po' caro!
b. • Andiamo a fare spese domani; eh, che ne dici?
   • D'accordo!
c. • Cosa ne pensi di quel maglione blu? A me sembra un po' pesante.

• Io, invece, penso che sia abbastanza leggero.
d. • Bella questa gonna! Che ne dici?
   • Sì, molto... adesso va anche di moda!

Seconda parte

20 A1

Giulia: Ciao ragazze! Come vedete mi sono svegliata in tempo.

Chiara: Brava! Io invece mi sono alzata tardi e mi sono preparata in fretta. Da dove cominciamo?

Alessia: Da Geox. Andiamo?

commessa: Buongiorno, posso aiutarvi?

Alessia: Sì, ho visto in vetrina un paio di scarpe sportive rosa.

commessa: Certo, che numero porti?

Alessia: Il 36.

commessa: Un attimo che le cerco. Eccole. Prego... Vanno bene?

Alessia: Sì, sono perfette. Quanto costano?

commessa: Costano 59 euro, ma c'è un 15% di sconto, quindi... 50 e 15 centesimi... 50.

Giulia: Questa maglietta c'è anche in blu?

commessa: Sì, in nero, bianco e blu. Che taglia porti?

Giulia: La small.

commessa: Ecco. La puoi provare se vuoi. Il camerino è là in fondo...

Giulia: Ragazze, com'è?

Chiara: Bella Giulia, ti sta proprio bene.

Giulia: Ok, la prendo. Costa 29, vero?

commessa: Sì, le magliette non hanno lo sconto. Pagate insieme?

Alessia: Eh... sì, ecco a Lei. 79 euro, no?

commessa: Giusto... Grazie.

21 Esercizio 10

Paolo: Dino, entriamo da Footlocker. Hanno delle scarpe da calcio stupende!

Dino: Sì, bella idea! Voglio cercare anche una maglietta per il basket.

commessa: Buongiorno ragazzi. Posso aiutarvi?

Paolo: Sì, ho visto in vetrina delle scarpe da calcio.

commessa: Sì, certo. Abbiamo scarpe di tutte le marche... Cerchi una marca in particolare?

Paolo:	Puma, le mie preferite. Avete il numero 39?
commessa:	Un attimo che le cerco. Eccole. Prego... Vanno bene?
Paolo:	Sì, sono perfette. Quanto costano?
commessa:	Oggi c'è uno sconto del 20% su tutto l'abbigliamento per il calcio. Quindi... 35 euro e 20.
Paolo:	Che fortuna un affare!

22 E1

- Con chi preferisci fare shopping, con tua madre o un'amica, un amico? Perché?
- Mi piacerebbe fare shopping con le amiche. Perché la mamma magari ti frena, se a te piace una cosa e a lei no, non te la fa comprare, mentre un'amica non ha questo segno così "duro" sulla tua scelta.

- Con mia madre. Perché mi compra quello che voglio, più o meno.
- Generalmente sei influenzata dalla moda, dalle nuove tendenze, da quello che indossano i tuoi coetanei?
- Per me, non interessa. No, io vesto a modo mio e non mi vesto uguale agli altri.
- Tendo a seguire molto le mode, perché mi piace stare comunque al passo con i tempi, anche se magari ho sempre qualcosa di un po' diverso rispetto alla moda proprio precisa. Mi piace molto la moda perché comunque riprende sempre qualcosa di vecchio mettendoci qualcosa di originale, magari cambiandolo, variandolo un pochettino.
- È importante per te che un abito sia di marca?
- Per niente; un abito può essere carino, ma non essere di marca.

Unità 5 Facciamo sport

Prima parte

23 Per cominciare... 3

Paolo:	Ti va di venire da me a guardare la partita domani?
Dino:	Certo! A che ora?
Paolo:	Boh, verso le 7, credo. Ti manderò un messaggio.
Dino:	Ok! Stasera, vieni con noi, vero? Faremo la prova a casa di Alessia.
Paolo:	Ah, bene. Vengo a sentire la canzone che avete scelto. Di Ligabue, no?
Dino:	Sì... veramente è stata un'idea di Chiara, le piace molto. E poi voleva una canzone sull'ambiente.
Paolo:	Ma... avete scelto una canzone che non vi piace?
Dino:	No, no, ci piace, è molto bella. E poi con la mia voce...
Paolo:	Certo, certo... sicuramente Ligabue si preoccupa già del suo futuro.
Dino:	Logico... ma dopo il concorso gli telefono, non si deve preoccupare... al massimo gli rubo qualche fan!
Paolo:	Come no..., quando ti sentiranno al concorso perderanno la testa. A proposito, ti posso dare un consiglio?
Dino:	Che consiglio?

Paolo:	Perché non fai un po' di sport in questo periodo? Così al concorso arriverai proprio in forma. È quello che fanno tutti i grandi cantanti, sai.
Dino:	Dici? Sai che non è il mio forte. Però hai ragione.
Paolo:	Bene, allora, se vuoi domani mattina andiamo a correre insieme.
Dino:	Correre?! Va be'... se è per la mia carriera...

24 B1

- Ci presti il tuo pallone?
- Mi dai in prestito questa rivista?
- Quel che dice non mi sembra logico.
- Ti pare giusto?
- Mi dispiace, ma non ti posso aiutare.
- Vi dà fastidio se apro un po'?
- Senti, puoi farmi un favore?
- Mi puoi dare una mano, per favore?
- Ragazzi, scusate, ma non mi va di uscire stasera.

Seconda parte

25 A1

Alessia:	Oh, ciao Paolo, come va?
Paolo:	Io bene... solo che Dino... si è fatto male!

Alessia: Male?! Cioè?

Paolo: Niente... eravamo andati al parco a correre e...

Alessia: A correre?! Dino?!

Paolo: Sì, gli ho detto che doveva essere in forma per il concorso. Ma mentre correvamo gli ha fatto male il ginocchio. Ha urlato dal dolore! Poi non poteva nemmeno camminare!

Alessia: Oh, no! È grave? E adesso come sta?

Paolo: Il medico ci ha detto che deve rimanere a letto per qualche giorno. E gli ha dato delle medicine, una pomata...

Alessia: Qualche giorno?! Ma abbiamo le prove e il concorso è fra due settimane. Si rimetterà, cosa vi hanno detto?

Paolo: Non lo so Alessia... anche Dino ci è rimasto male, pensa più al concorso che al dolore.

Alessia: Poverino... ma dove siete, in ospedale?

Paolo: No, adesso siamo a casa di Dino. Però io vado via, mi ha detto che vuole stare da solo.

Alessia: Capisco, informerò le ragazze.

Paolo: Giulia lo sa, le ho appena telefonato. Se puoi chiamare Chiara...

26 D1

- Sei un tipo sportivo?
- Sì.
- Molto.
- Sì!
- Che sport pratichi, o hai praticato?
- Ho praticato danza e pallavolo.
- Praticavo il calcio. Ora niente, cioè gioco per divertimento.
- Sì, pratico pallanuoto. Questo sport lo pratico due volte alla settimana, per due ore e alla domenica di solito faccio la partita. Per tre anni consecutivi siamo arrivati in finale e abbiamo vinto ed è bello come sport.
- Calcio. Mah, allora, se per esempio sono in spiaggia pratico anche racchettoni, basket e se proprio mi capita, pallavolo.
- Sei tifoso o tifosa di una squadra? Quale?
- Sì, Juventus.
- Milan. Perché mi piacciono i giocatori al suo interno.
- Sì, tifo il Milan.
- Sì. La Juventus.
- La segui dal vivo?
- No.
- Beh, dipende da quando posso andare a vederla... quando ci sono tipo le partite che mi piacciono di più, come Juve-Milan o Inter-Milan, che sono le più importanti, le vado a vedere, se no preferisco guardarle a casa.
- Mah, no, la seguo in televisione, mai andato ad uno stadio.

Unità 6 L'ora della verità!

Prima parte

27 Per cominciare... 3

Chiara: Dino, ce la farai domenica?

Dino: Mah, il ginocchio mi fa ancora male... almeno adesso che ho fatto sport sono in forma!

Giulia: Dai, non scherzare! Se domenica non potrai stare in piedi, cosa faremo?

Alessia: Giulia, lascialo stare, è già stressato, poverino.

Paolo: Calmati, Dino! Non è colpa tua se ti sei fatto male. Dai, cerchiamo di essere ottimisti, ragazzi!

Giulia: Ma anche realisti! Se Dino ha il ginocchio fuori uso, tu, Paolo non potrai sostituirlo, vero?

Paolo: Io?! Ma lo sapete, domenica c'è la partita più importante dell'anno. E poi tutte le prove le avete fatte con Dino...

Giulia: Sì, è vero... Ma la partita a che ora è?... Almeno verrai a vederci, no?

Paolo: Non lo so..., finisco alle sei e il campo è dall'altra parte della città.

Alessia: No, dai Paolo, cerca di esserci! Abbiamo bisogno di te, almeno nel pubblico.

Dino: Sì, trova un taxi, chiedi a qualcuno di darti un passaggio, prendi l'aereo, fai quello vuoi, ma non puoi mancare!

Paolo: Ragazzi, che vi devo dire? Farò il possibile.

Chiara: Ma scusate questa prova la vogliamo fare o no?

Alessia: Hai ragione, cominciamo!

28 B1

a. Per informazioni chiamate il numero verde 800..

b. Porta il tuo mondo con te! Con il nuovo Nokia 9000.

c. Cambia rete! Passa a Vodafone!

d. Ti fa male il dente? Allora, vai dal dentista!

e. Non credere a tutto quello che ti dice Carlo, svegliati!

f. Prima di accendere il computer, caricate bene la batteria.

g. In caso di incendio, non usate l'ascensore!

h. Lo so che non ti piace, ma bevilo, altrimenti la tosse non passerà!

29 Esercizio 6

Mamma:	Dino, se vuoi non avere molti problemi con il ginocchio e vuoi arrivare in forma al concorso, ricordati di andare dal medico.
Dino:	Sì, mamma.
Mamma:	Naturalmente prendi un taxi e non camminare molto.
Dino:	Sì, mamma.
Mamma:	Non dimenticare le chiavi...
Dino:	Sì, ho capito!
Mamma:	Torna presto e riposa.
Dino:	Sì, mamma!! Ciao!
Mamma:	Cosa c'è?
Dino:	Le chiavi... le ho dimenticate...

Seconda parte

30 A1

Presentatore:	E adesso l'ultimo gruppo in gara: *Eppure soffia*, cantano i "Paolo non c'è". Che nome, ragazzi! Un applauso! ... Bravi, bravi. Adesso pausa e... fra 10 minuti avremo i risultati!
Chiara:	Dino, siediti. Ti fa male?
Dino:	Non preoccupatevi, sto bene, sono solo molto ansioso. È andata bene, no?
Alessia:	Io penso di sì, speriamo che anche la commissione avrà la stessa idea.
Paolo:	Complimenti, siete stati fantastici!
Giulia:	Paolo, ce l'hai fatta! Di' la verità, com'era?
Paolo:	No, veramente, secondo me avete... abbiamo vinto! Non ho senti-

	to gli altri gruppi però...
Giulia:	Non ci prendere in giro! Qua ci sono più di 30 gruppi, alcuni molto bravi. Soprattutto...
Presentatore:	Rieccoci qui con i risultati. Siete pronti? Allora, al terzo posto i "Ragazzi in blu" che vincono una gita a Siena. Al secondo posto... i "Paolo non c'è" che vincono un viaggio a Milano! E al primo posto i "più due" che vincono un viaggio a Roma! Complimenti a tutti!
Chiara:	Siamo secondi, secondi!
Dino:	E vai! Bene, ora per festeggiare andiamo a mangiare qualcosa!

31 B1

a. • Scusate, ragazzi, sapete dov'è la mensa?
   • Certo; va' dritto per un centinaio di metri, alla terza strada gira a destra e poi subito a sinistra. C'è una lunga fila fuori: non puoi sbagliare.
   • Grazie tante!

b. • Luca, posso chiederti una cosa?
   • Certo, dimmi!
   • Dov'è il negozio di Sandra?
   • Dunque... è abbastanza facile: prendi questa strada e va' dritto; alla seconda traversa gira a sinistra e al primo incrocio a destra. All'angolo sulla tua destra troverai il negozio.
   • Grazie!

c. • Carla, sai dov'è la Libreria italiana?
   • Ascolta: va' sempre dritto fino a via Meridiana, la terza traversa. Poi gira subito a sinistra e ci sei; non è difficile.
   • Grazie mille!

32 Esercizio 13

• È importante la musica, per te?
- Sì.
- Sì, abbastanza.
- No! Si potrebbe anche fare a meno.
• Dove e quando l'ascolti?
- Di solito l'ascolto a casa, dalle due alle tre ore.
- Al computer. Un'oretta al giorno.
- Mah, l'ascolto poco, visto che sono sempre fuori e l'ascolto su computer o mp3.
• Preferisci musica italiana o straniera?
- Straniera.
- Preferisco la musica straniera.
- Ascolto più la musica straniera di quella italiana, comunque tutte e due mi piacciono.

- Due nomi per ogni categoria che ti piacciono?
- Cascada, musica house e U-ga frame, musica rap.
- Non ne ho, artisti in particolare; ascolto... ma magari spesso non so neanche di chi sono.
- Della musica italiana seguo molto il rap, quindi Fabri Fibra, o Mondomarcio. Mentre della straniera, seguo diversi personaggi e comunque uno che mi piace molto è David Guetta e Katy Perry.
- Compri cd o scarichi le canzoni da internet?
- Di solito le canzoni ce le passiamo tra amici, a volte compro anche i cd.
- Scarico le canzoni da internet.

- No, scarico le canzoni da internet o, se proprio mi capita, compro il cd. Se vedo che mi piace una cosa molto.
- Vai o sei andato a qualche concerto?
- No.
- No, mai.
- No, mai.
- A quale concerto ti piacerebbe andare? Con chi?
- A quello di Vasco con la mia migliore amica.
- Non lo so, non saprei.
- Mah, in questi giorni c'è il concerto degli U2; quindi mi piacerebbe andare a quello.

Trascrizione dei dialoghi video

PROGETTO ITALIANO Junior 2

EPISODI Unità 1

Paolo: Pronto? Oh, ciao Matteo! Ma dove sei stato oggi?

Dino: Matteo? Perché non è venuto? Che ha, sta male?

Paolo: Sì sì… non sta benissimo, ma domani forse verrà. Chiede che cosa abbiamo fatto oggi… Mah, oggi niente, abbiamo parlato con il prof. dei progetti extracurricolari. No, ancora non abbiamo deciso niente, ci sono varie possibilità. Allora, una è il gemellaggio con una scuola straniera… see, magari Barcellona! Forza Barça! Matteo vuole fare un gemellaggio con una scuola di Barcellona…

Dino: No, io allora preferisco Londra!

Paolo: …Dino dice che preferisce Londra, mentre Alessia vuole Parigi… eh, ma le francesi sono carine! No, niente, poi c'è un'altra possibilità… Dino, non mi ricordo, qual è l'altro progetto?

Dino: Educazione ambientale! Quello che piace a Chiara.

Paolo: Ah, sì, educazione ambientale. Sì, anche questo è interessante… E poi c'è la possibilità di un concorso musicale: forte no? Sì, un concorso tra gruppi musicali della città.

Dino: E vinceremo noi!

Paolo: No, niente, è Dino che è già esaltato, dice che vinceremo noi… Come chi noi? Il grande gruppo musicale della scuola! Chiara, Alessia, Giulia, io e Dino, che sarà il nostro manager! Dai, non scherzare, guarda che tutti suonano qualcosa, e io, lo sai, ho studiato un po' al conservatorio! Matteo vuole essere anche lui del gruppo!

Dino: Magari puoi fare il ballerino, ma ci devi mandare un curriculum!

Paolo: Vuole l'e-mail della tua segretaria per mandare il suo curriculum! Sì, dai, comunque l'idea del gruppo è bella ma… eh appunto… Matteo dice che questi concorsi sono molto difficili: la nostra scuola l'anno scorso ha partecipato ed è arrivata quindicesima!!

Dino: Certo, senza un grande manager…!

EPISODI Unità 2

Alessia: Paolo, è possibile forse vedere almeno 10 secondi dello stesso canale?

Paolo: Ma non vedi, non c'è niente di interessante…: un documentario sull'Africa, il telegiornale, la pubblicità, un gioco a quiz… Ma guarda questi qua, non sanno rispondere nemmeno a delle domande facili facili!

Alessia: Va bene, ma tanto anche se troviamo qualcosa di interessante, tra poco inizierà la puntata di *Cantare*! Siamo venuti qui per questo, no?

Paolo: Sì, ma magari c'è qualcosa di più bello.

Alessia: Certo, magari un programma sul calcio, vero?

Giulia: Ma perché avete messo su Italia Uno? *Cantare* è su RaiDue! Ma quando arriva Chiara? Aveva detto alle otto e mezzo, invece… Intanto vado a prendere qualcosa da mangiare.

Paolo: Ecco, la pubblicità è finita. Tra poco comincia. Comunque mi dovete ricordare un po' di cose del primo ciclo…

Alessia: Allora, l'ultima puntata del primo ciclo era finita con Mario che aveva rifiutato un contratto con una casa discografica per rimanere con Nadia…

Paolo: Nadia, la chitarrista del gruppo?

Giulia: No, la tastierista. Prima lei usciva con Pietro…

Dino: E chi è Pietro?

Alessia: Pietro è il batterista, che carino!!!

Paolo: Beh, anche Nadia non è male; ma io preferivo Valeria…

Giulia: Ma in questa fiction sono tutti carini! Però ho letto che ci sono nuovi personaggi. Mah, c'è un manager cattivo, per esempio…

Paolo: Dino!

Giulia: Ma dai! È innamorato di Nadia e… Ah, questa è Chiara!

EPISODI Unità 3

Dino: Non ti preoccupare, Giulia, non ci sono problemi.

Giulia: Ok, meglio così. Dai, allora chiama.

Dino: Allora, ciao papà… la casa in campagna… la macchina… Ok, sono pronto! Certo che non si tratta solo di un favore eh, ma di tre!

Giulia: Ma se hai appena detto che per tuo padre non ci sono problemi?

Dino: Sì sì…

Dino: Ehi, ciao pa'… Sì sì, tutto bene, non ti preoccupare… No no, niente, è che… senti, possiamo usare la casa in campagna per provare la canzone per il concorso? Sai, lì non daremo fastidio a nessuno… Davvero? Grazie! Eh, sì io, Giulia, anche Chiara e Alessia… Wow, grande! Perfetto. Senti, però puoi accompagnarci tu? Wow, grande! D'accordo sì… ma non è che possiamo andarci domani? Ah, domani ha da fare… Papà, sei un mito! Sì sì, torneremo presto, grande, pa'! …Ah, pa' senti… per quella con-

solle che ti dicevo? Sì sì ok dai, lasciamo stare per adesso, come non detto! Ciao pa' e grazie, eh! È fatta!

Giulia: Sì, ma che c'entra la consolle?

Dino: Niente, visto che diceva sempre di sì, c'ho provato, no! Allora domani alle tre di pomeriggio. Va bene?

Giulia: Sì, ok. Ma è lontano?

Dino: No, non molto. Quaranta minuti di macchina da qui, se in autostrada non c'è troppo traffico.

Giulia: E a che ora torniamo?

Dino: Mio padre dice che dobbiamo per forza tornare per le sei, massimo sei e mezzo. Ha un appuntamento.

Giulia: Allora mando un sms alle ragazze.

Dino: Va bene. Ah senti, chi porta da mangiare?

Giulia: Dino, pensi sempre a quello, eh? Dai, compreremo qualcosa per strada, no?

Dino: Giusto! L'hai mandato l'sms?

Giulia: E chi sono, Wonder Woman? Un attimo!

EPISODI Unità 4

Alessia: Ma… Giulia? È già andata via, eh?

Chiara: Sì, l'ha chiamata sua madre, la zia era già arrivata!

Alessia: Peccato, non l'ho neanche salutata… Ehi, che ne pensi di quella cintura lì?

Chiara: Quale, quella a destra?

Alessia: Sì.

Chiara: Beh… simpatica…!

Alessia: Ho capito, non ti piace…! Guarda, là c'è Benetton, andiamo a dare un'occhiata?

Chiara: Sì, dai!

Chiara: Guarda che bella quella maglia di cotone…!

Alessia: Quale?

Chiara: Quella rosa.

Alessia: Uhm, rosa? Non fa un po' troppo bambina?

Chiara: Sì, in effetti hai ragione. Forse è meglio questa verde mela.

Alessia: Sì, così quando hai fame non hai problemi!

Chiara: Che carine, queste gonne! E non costano molto!

Alessia: Non male! Ti sta proprio bene!

Chiara: Ci sono anche rosse?

Alessia: Certo, guarda! Chiara, come mi sta?

Chiara: Sì, perfetto per andare a scuola! Magari quando ti interroga la prof di matematica!

Alessia: Sì, infatti!

EPISODI Unità 5

Paolo: Dai, allora Dino, cominciamo con 10 minuti di corsa, giusto per fare riscaldamento, ok?

Dino: Va bene, però dopo andiamo a fare colazione, eh? Non ho mangiato niente da stamattina!

Paolo: Guarda che se corri per dieci minuti e poi

mangi per mezz'ora non risolvi molto! Allora, sei pronto?

Dino: Sì! Almeno credo…

Paolo: Sì, dai! Non partire subito come un razzo, che dopo ti stanchi subito!

Dino: Ok, ok, dai partiamo.

Paolo: Dino, ti ho detto di non correre troppo!

Dino: Aahh, il ginocchio…! Che male! Aahh…

Paolo: Fammi vedere qui…

Dino: Ahia! Piano, fa male!!

Paolo: Mannaggia, Dino, ti avevo detto di non correre subito così! Ma da quanto tempo è che non fai sport? E adesso che facciamo?

Dino: Fai piano… Ho detto fai piano!

Paolo: Ecco, bravo, stai seduto così. Dai, provo a chiamare mio padre, se ci viene a prendere e andiamo al Pronto Soccorso… Ciao papà, sono io. Bene bene, senti, sono con Dino qui al parco, facevamo jogging, ma lui si è fatto male. No no, niente di grave, ma non riesce a camminare. Puoi venire a prenderci, che lo portiamo al Pronto Soccorso? Ok grazie, pa'. Sì sì, ciao. Dai, mio padre tra poco sarà qui. Dai, resisti. Ce la fai a venire fino al marciapiede? Ti aiuto io…

Dino: Sì, almeno credo … ahia, fai piano!

Paolo: Guarda che una rockstar può sopportare questo e altro!

Paolo: Eccolo, è arrivato. Dai.

Dino: Senti, non è che prima di andare al Pronto Soccorso passiamo al bar per mangiare qualcosa…?

Paolo: Sì, così poi magari ti passa tutto, eh!

EPISODI Unità 6

Dino: Beh… alla nostra, allora!

Tutti: Evviva! Sì, siamo grandi!

Paolo: Comunque, ragazzi, il nome che avete scelto è fantastico! "Paolo non c'è"! E non mi avete detto niente!

Chiara: E pensare che io ero indecisa e dicevo: "chissà se a Paolo darà fastidio…"

Paolo: Ah, si vede che non mi conosci ancora bene!

Dino: Paolo, ma non hai fame? Quella pizza la lasci lì?

Giulia: Paolo, mangiala, se no tra un po' non la trovi più sul piatto, eh!

Paolo: No, davvero, non mi va. Prendila pure, Dino. E finisci tranquillamente la Coca, tanto adesso ordiniamo ancora.

Alessia: Comunque secondo me non dovevano vincere i "+ 2", non erano così bravi…

Chiara: Sì, è vero! Io preferivo "I quattro gatti"…!

Giulia: Sì, anche io. E il nome era simpatico!

Paolo: Ragazze, ma che mi dite dei "Brutti ma bravi"?

Chiara: Brutti erano brutti, ma bravi proprio no!

Paolo: Beh, non tutti potevano avere un cantante come Dino! Signore e signori, siamo qui con il grande Dino Petrini, cantante-manager del gruppo "Paolo non c'è"… Allora, quali sono i vostri progetti per il futuro dopo questo grande successo?

Dino: Beh, è un po' presto, ma… sicuramente faremo una tournée per l'Europa, abbiamo anche richieste dagli Stati Uniti e comunque incideremo un nuovo album…

Giulia: Ragazze, ma guardate, quello è Dino Petrini!!!!

Chiara e Alessia: Sì, è proprio lui! Dino, facci un autografo!

Alessia: Qui, sulla pizza!

Dino: Piano piano! Una alla volta!

Trascrizione dei dialoghi video

Unità 1

- **La tua scuola o classe, quest'anno ha partecipato o partecipa a qualche progetto extracurricolare?**
- Sì, ho fatto un corso d'inglese, dopo scuola.
- Sì, c'è stato un corso d'inglese, un corso di tedesco e un concorso per quelli che fanno parte del coro e dell'orchestra.
- La mia scuola ha partecipato a più progetti, come il rientro d'inglese e il rientro di tedesco, ma anche concorsi per coro e orchestra che sono stati diretti dal professor Rossi, il professore di musica.
- Sì, però io non ho partecipato.
- **In cosa consisteva?**
- È un corso d'inglese per aiutarti, in un futuro, a sapere meglio l'inglese.
- **Com'è stata l'esperienza in generale?**
- Era difficile, però la professoressa era molto brava ad insegnare.
- Io non sono potuta andare perché avevo un altro impegno, però da quello che hanno detto è stato divertente.
- **A quale altra iniziativa ti piacerebbe partecipare in futuro?**
- Sicuramente ritornerò alla mia scuola per fare i rientri di coro, come ho sempre fatto durante questi tre anni e anche i rientri di teatro che si faranno.
- **Cosa vorresti fare? Quale fra questi tre progetti ti sembra più interessante e perché? Il gemellaggio con una scuola all'estero. Un concorso tra gruppi musicali scolastici. Un'iniziativa per la salvaguardia dell'ambiente.**
- Un concorso di musica. Sì, tra scuole diverse, così uno ha anche più possibilità di vedere, una scuola magari vede quanti talenti ha, dentro.

Unità 2

- **Quante ore al giorno passi davanti alla tv?**
- Eh, beh... due o tre.
- Tre ore.
- Più o meno quattro ore e mezza.
- **Di solito a che ora la guardi?**
- Quando torno a casa da scuola; dall'una e mezza fino alle... tre e mezza, tipo.
- La guardo alla sera.
- **E nel fine settimana?**
- Beh, dipende, se usciamo, no. Se no la mattina, sabato mattina e la sera, i film.

- No, nei fine settimana quasi mai. Preferisco uscire con le amiche.
- **Che cosa ti piace e cosa non ti piace?**
- Ci sono vari telefilm che fanno il pomeriggio, se no film, tutti... Avventura, horror.
- In tv mi piacciono i programmi comici perché ti fanno stare su di morale, e mi piacciono i telefilm magari western.
- A me piace molto la tv italiana e i programmi che vedo sono "Dragonball" e "Power Rangers". Non mi piacciono i film gialli o polizieschi.

Unità 3

- **Da quello che sai, quali sono i maggiori problemi dell'ambiente, le maggiori minacce?**
- I maggiori problemi dell'ambiente al giorno d'oggi credo che siano l'inquinamento atmosferico, sonoro...
- Mah, l'inquinamento, la mancanza di acqua, sta sparendo tutto il verde, il surriscaldamento globale...
- Da quello che so, i maggiori problemi e le minacce dell'ambiente sono soprattutto l' inquinamento.
- La plastica quando la buttano via, oppure le lattine, il vetro, le siringhe...
- **Secondo te, di chi è la colpa?**
- La colpa di questi problemi secondo me è il cittadino, l'individuo che dovrebbe avere più rispetto della natura anche per gli altri quindi e dovrebbe fare delle piccole cose che normalmente non ci facciamo caso, ma dovrebbe... che dovrebbe invece fare.
- Mah, principalmente degli umani.
- La colpa è di tutti noi, soprattutto di noi ragazzi che sporchiamo molto in giro.
- A volte per colpa delle industrie e altre volte delle persone.
- **Tu fai qualcosa per l'ambiente? Che cosa?**
- Nel mio piccolo per rispettare l'ambiente, pur avendo il motorino vado il più possibile a piedi oppure in bicicletta ed eseguo la raccolta differenziata.
- La raccolta differenziata. Praticamente si dividono i rifiuti in plastica, vetro, carta... e poi umido se magari c'è.
- Sì, faccio parte di un gruppo di volontariato. Solitamente andiamo a pulire... a ripulire i parchi della nostra zona.
- Io faccio la raccolta differenziata e metto le lattine con le lattine, il vetro col vetro, la plastica la metto sempre nella plastica...

Unità 4

- **Quanto è importante per te l'abbigliamento?**
- Beh, tanto, perché se uno si veste bene fa buona impressione davanti agli altri.
- Secondo me l'abbigliamento conta abbastanza.
- Beh, vestirsi bene è importante tanto, perché è l'aspetto che dai principalmente che conta.
- **Scegli da solo i vestiti da comprare?**
- Beh, sì. Quelli che mi piacciono, li prendo.
- Sì, da un po' di tempo a questa parte scelgo da sola quello che indosso.
- Mah, dipende, perché alcune volte me li compra mia madre, mentre altre volte le chiedo di comprarmi, cioè li scelgo io. Sì e no.
- Sì.
- **Dove vai a fare spese?**
- Boh, nei negozi che capitano. Vedo qualcosa fuori ed entro.
- Vado a comprare gli abiti soprattutto nei negozi di abbigliamento o anche semplicemente al mercato della mia città.
- Mah, di solito io vado con mia madre all'Esselunga, o alcune volte lei va ai discount da sola.
- In un cen…, cioè… nei negozi.
- **Generalmente sei influenzato dalla moda, dalle nuove tendenze, da quello che indossano i tuoi coetanei?**
- No. Mi vesto proprio a modo mio, io. Cioè non mi interessa vedere come si veste uno e copiarlo, tipo.
- No, il 90% delle volte non mi interessa niente la moda o cosa vestono i miei compagni, ma seguo i miei gusti e ciò che piace a me.
- Un po'. Perché se stai in un gruppo devi anche seguire un po' i gusti degli altri. Però non tantissimo.

Unità 5

- **Pratichi qualche sport?**
- Sì. Pratico danza in una scuola apposta, qua nella mia città.
- Sì, il nuoto. Lo pratico una volta a settimana, due ore, e ci fanno fare molte vasche, stili diversi per farci migliorare sempre di più.
- No. Ho iniziato a fare judo quest'anno e l'anno prima ho fatto danza; però quest'anno ho avuto un problema al ginocchio per cui ho dovuto smettere.
- **Sei brava?**
- Sì, diciamo che me la cavo.
- Abbastanza.
- **Oltre a questo, quali altri sport ti piacciono?**
- La pallavolo.
- Mi piacerebbe la scherma.
- Pattinaggio.
- **C'è qualche sport che ti piace seguire?**
- Mah, no.
- Danza. Sì, mi piace seguire le persone che danzano.
- **Qual è la tua squadra italiana del cuore?**
- L'Inter.
- Milan. Però il calcio non mi piace particolarmente.
- Milan.
- **E tra le squadre straniere?**
- Il Barcellona.
- No, no.
- Non ne ho una.

Unità 6

- **Quanto è importante la musica per te?**
- La musica secondo me è molto importante, specie alla nostra età che abbiamo mille emozioni, mille sensazioni, stati d'animo e mi aiuta comunque nei momenti anche del bisogno.
- Tanto.
- Molto! La musica è molto importante.
- **Dove e quando la ascolti?**
- L'ascolto quasi sempre a casa mia, nella mia camera quasi tutt… cioè tutti i giorni in tutte le ore del giorno.
- Sull'mp3.
- Dappertutto: a casa, fuori quando ho l'mp3, cioè: sto sempre ad ascoltare musica.
- **Che tipo di musica ascolti?**
- Mi piace ascoltare musica del mio territorio, della mia zona.
- Un po' tutti i generi, però tranne i classici, che li odio proprio.
- A me piace l'hard rock, ma mi piacciono anche pop rock, cose così. Però, rispettando le mie origini, comunque a me mi piace anche il reggae tone, le musiche molto latino-americane.
- **Quali sono i tuoi cantanti italiani e stranieri preferiti?**
- I miei cantanti italiani preferiti sono Vasco Rossi e Fabrizio De Andrè. Invece gli stranieri, pur non ascoltandoli tanto, però secondo me sono molto bravi i Beatles e i Pink Floyd.
- Non saprei… no perché io li ascolto tutti così… Alla fine li ascolto tutti.
- Il mio cantante italiano preferito è Nek. Cantante straniero mi piace… Va bè, mi piacciono i Tokio Hotel, sono una loro grande fan.
- **Compri cd o scarichi le canzoni da Internet?**
- Alle volte compro i cd, ma hanno un prezzo relativamente alto, quindi preferisco duplicare i cd degli amici e passarceli a vicenda.

- Tutti e due. Cioè sia li compro e sia li scarico.
- Compro i cd. Perché mi piace avere il cd originale a casa.

QUIZ

Unità 1

PRESENTATORE

Signore e signori, benvenuti alla seconda serie del quiz a premi per giovani *Lo so io!* Allora, abbiamo chiuso il primo ciclo con una vincitrice, la nostra Giulia! E gli altri due concorrenti sono Paolo e Chiara! Un bell'applauso per i nostri ragazzi! Bene, bene, ma iniziamo subito a giocare: come sempre le domande sono tre e ogni domanda ha quattro opzioni, ma solo chi si prenoterà per primo potrà rispondere. Allora, ragazzi, amici da casa, concentrati e iniziamo con la prima domanda!
Allora, nella prima domanda parliamo di Zodiaco:
Se sono nato il 25 luglio, di che segno sono?
a. Cancro
b. Leone
c. Vergine
d. non credo nell'oroscopo…

GIULIA: Leone, b!

PRESENTATORE

Leone, esatto! Brava Giulia! E continuiamo subito con la prossima domanda. Attenti: dici ai tuoi:
"Quest'anno studierò di più, vedrete!" Si tratta di
a. una promessa
b. una previsione
c. un'ipotesi
d. …qualcosa che già hai detto…

CHIARA: Una promessa!

PRESENTATORE

Ma certo, una promessa! E Chiara raggiunge Giulia a un punto. Ma attenzione, ecco la terza domanda: pronti?
Quale di queste espressioni possiamo usare per confermare qualcosa?
a. Davvero?
b. Volentieri!
c. Chiaro!
d. Scuro!

PRESENTATORE

Ancora Chiara!

CHIARA: Io dico c, "chiaro"!

PRESENTATORE

E credi bene! E sali addirittura a 2 punti, complimenti! Restate con noi e non perdete la prossima partita, che si preannuncia molto interessante! A dopo! Ciao!

Unità 2

PRESENTATORE

Benvenuti di nuovo tra noi, grazie! Allora, dopo le prime tre domande Chiara è in testa con due punti, ma siamo appena all'inizio e le cose possono cambiare. Se siete pronti, io comincerei con la prima domanda, va bene? Amici da casa, attenti anche voi:
Per dire "sì" possiamo usare anche una delle seguenti parole:
a. Sai
b. Già
c. Peccato
d. No!

PRESENTATORE

Giulia, dai!

GIULIA: È la b!

PRESENTATORE

E già! È proprio la b! Brava Giulia! Seconda domanda! Pronti? Attenti che è facile e dovete essere veloci:
Quale di questi NON è un programma televisivo:
a. cartone animato
b. telegiornale
c. documentario
d. cruciverba

PAOLO: Cruciverba!

PRESENTATORE

Sì, cruciverba! E Paolo conquista finalmente il suo primo punto! Andiamo subito con la terza domanda e anche in questo caso dovete essere veloci:
Se voglio cambiare canale ho bisogno di
a. un'antenna parabolica
b. un telecomando
c. un decoder
d. …un televisore!

CHIARA: Il telecomando!

PRESENTATORE

Certo, brava Chiara! E Chiara risponde ai suoi avversari con un altro punto e va a 3! Cosa succederà nella prossima gara? Lo vedremo nella prossima partita, restate con noi!

Unità 3

PRESENTATORE

Grazie, grazie! Bentornati insieme a noi per giocare al nostro *Lo so io!* Come sempre abbiamo i nostri tre concorrenti e direi di partire subito con la prima domanda, d'accordo? E anche voi da casa, giocate con noi! Domanda:

Quali di queste parole indica soltanto, e sottolineo soltanto, uno strumento musicale?

a. basso
b. tastiera
c. batteria
d. chitarra

PRESENTATORE

Giulia lo sa!

GIULIA: Beh, credo chitarra…

PRESENTATORE

E credi bene! Infatti "basso" è anche un aggettivo, la tastiera è quella del computer e la batteria è anche quella che chiamiamo "pila". Brava Giulia! Andiamo subito con la seconda domanda!

Se chiedi a qualcuno "Vuoi una mano?", significa che questa persona

a. è molto triste
b. ha bisogno di aiuto
c. è delusa
d. …ha perso la sua!

PRESENTATORE

Lo sa… Paolo!

PAOLO: Beh, b, "ha bisogno di aiuto"!

PRESENTATORE

Ma certo, Paolo! E non certo perché "ha perso la sua…"! I nostri autori… Passiamo alla terza domanda: I tuoi ti annunciano che se a fine anno avrai voti alti, ti compreranno la bici che volevi tanto. Cosa dici?

a. Che bella sorpresa!
b. Peccato!
c. Accidenti
d. …addio bici!

PRESENTATORE

Lo sa Giulia!

GIULIA: È a, "che bella sorpresa!"

PRESENTATORE

Ma certo, brava! La prossima partita sarà interessantissima! Vi consiglio di non perderla e di essere qui con noi, alla stessa ora, con *Lo so io!*

Unità 4

PRESENTATORE

Signori e signore buonasera e benvenuti ad una nuova puntata del nostro gioco a quiz *Lo so io!* Oggi la puntata è interessante perché tutti i concorrenti partono alla pari con due punti. Ma non perdiamo altro tempo e cominciamo subito con la prima domanda! Siete pronti? Bene!

Cosa diciamo quando vogliamo continuare un discorso che un'altra persona ha iniziato?

a. Macché!
b. Ma lo sai…?
c. A proposito…
d. Ci sto!

CHIARA: A proposito!

PRESENTATORE

Sì, giusto! E Chiara risale a tre punti! Seconda domanda, parliamo di abbigliamento: una di queste marche NON è italiana: quale?

a. Geox
b. Diesel
c. Puma
d. Superga

PRESENTATORE

Lo sa Giulia!

GIULIA: Beh, credo proprio Puma!

PRESENTATORE

Puma? Esatto! Ahaha, ti ho fatto paura, eh, Giulia? Ma è proprio così, la Puma è tedesca, mentre tutte le altre sono nomi della nostra moda italiana! Andiamo subito con la terza domanda:

Quale di queste NON è una frase adatta in un negozio di abbigliamento?

a. Ti sta proprio bene
b. È molto alla moda
c. C'è anche in blu?
d. Ne voglio tre chili!

GIULIA: Ne voglio tre chili!

PRESENTATORE

Esatto! Noi per ora ci fermiamo qui, ma non cambiate canale, restate con noi per la prossima partita di *Lo so io!* Vi aspettiamo!

Trascrizione dei dialoghi video

Unità 5

PRESENTATORE

Eccoci di nuovo insieme a *Lo so io!* con i nostri tre amici Giulia, Paolo e Chiara! Vedremo cosa succederà in questa partita e per farlo dobbiamo iniziare con la prima domanda! Siete pronti? E voi da casa, siete pronti? Prima domanda:
Quale di questi sport non si gioca in un campo:
a. pallacanestro
b. calcio
c. tennis
d. ciclismo

PRESENTATORE

Lo sa Paolo! Non ne dubitavo, eh!

PAOLO: Ovviamente è il ciclismo!

PRESENTATORE

Ovviamente! Andiamo subito con la seconda domanda:
Quando qualcuno è diventato triste per qualcosa diciamo che:
a. si è fatto male
b. ci è rimasto male
c. ha fatto male
d. è stato male

GIULIA: B, ci è rimasto male!

PRESENTATORE

Certo, è la b! E Giulia si porta in testa con quattro punti! Brava! E ora l'ultima domanda di questa seconda partita, prima del gran finale! Foto!: Il calcio si praticava anche nel Medioevo. Dove, in particolare?
a. a Milano
b. a Roma
c. a Firenze
d. ...a Los Angeles!

PAOLO: Firenze!!

PRESENTATORE

Sì! E Paolo raggiunge Giulia a quattro punti! Bravi! Ora facciamo una pausa, ma non perdete la gara finale che designerà il campione di *Lo so io!*

Unità 6

PRESENTATORE

Eccoci di nuovo qui per quest'ultima gara di *Lo so io!*, che ci dirà chi sarà il campione tra i nostri tre amici, Giulia, Paolo e Chiara! Il vincitore di questa edizione riceverà come premio una bellissima bicicletta per andare in giro per la città senza inquinare! Inoltre, si porterà a casa un impianto hi-fi e un televisore in tecnologia 3D! Insomma, non male, eh! Ma iniziamo subito con le domande, siete pronti? Ecco la prima domanda, attenti:
Quale di queste non è un'indicazione stradale?
a. gira a destra!
b. va' sempre dritto!
c. va' piano!
d. attraversa l'incrocio!

PRESENTATORE

Lo sa Paolo!

PAOLO: Sì: è c, "va' piano"!

PRESENTATORE

Ma certo, "va' piano!", che spesso è quello che dice la mamma, ma non precisamente un'indicazione stradale, vero? E Paolo si porta a cinque punti! Ma andiamo subito con la seconda domanda:
Quale di questi cantanti è diventato famoso grazie al festival di Sanremo?
a. Ligabue
b. Laura Pausini
c. Vasco Rossi
d. ...Elvis Presley!

PRESENTATORE

Lo sa Chiara!

CHIARA: Laura Pausini!

PRESENTATORE

Risposta... esatta! Prima dell'ultima domanda, posso soltanto dire che tutti ancora potete vincere! Certo, Paolo è in vantaggio, ma Chiara e Giulia sono soltanto indietro di un punto, quindi... coraggio! Ultima domanda:
Chi ha cantato la canzone "Laura non c'è"?:
a. Nek
b. Laura Pausini
c. Tiziano Ferro
d. ...la mamma di Laura!

PRESENTATORE

Lo sa Paolo!

PAOLO: Sì, la risposta è la a, Nek.

PRESENTATORE

...E la risposta è esatta! Paolo è il nostro campione!! Complimenti Paolo! E complimenti anche a Giulia e Chiara, che sono state in partita fino all'ultimo! Bravi ragazzi! Bravi! Bravi davvero! Io do appuntamento a tutti per la terza edizione di *Lo so io!*, la grande edizione finale dove si designerà il campione dei campioni! Ci vediamo dopo l'estate, arrivederci!!!

UNITÀ 1

1 1. f, 2. d, 3. a, 4. e, 5. b, 6. c
Risposta aperta

2 Bene, parteciperà, magari, sarà, canterà, quindi
Possibili parole da inserire:
educazione ambientale: l'ecologia, il rispetto dell'ambiente, il riciclaggio dei rifiuti, il risparmio energetico, le fonti alternative di energia, lo sviluppo ecosostenibile …;
gemellaggio: la scuola, gli scambi culturali, i progetti scolastici, i viaggi di istruzione, le nuove amicizie, la conoscenza di altri Paesi, organizzare …

3

io	organizzerò	proteggerò
tu	canterai	conoscerai
lui/lei/Lei	pulirà	parlerà
noi	impareremo	vinceremo
voi	inizierete	sceglierete
loro	manderanno	suoneranno

4 L: studieranno, M: organizzerà, M: leggerò, G: inizieremo, V: presenterà, S: guarderemo, D: dormirò

5 uscirai, puliranno, manderò, sceglierà, parteciperete, canterai, *parlerete*, intervisterà, vinceremo

6 sarai, Sarò, Faremo, avremo, saranno, Faremo

7 1. c, 2. e, 3. d, 4. a, 5. b

8 1. perderemo, d; 2. saremo, f; 3. peserà, e; 4. verrò, c; 5. dirà, b; 6. pioverà, a

9 1. b, 2. c, 3. d, 4. f, 5. e, 6. a

10 1. avremo scelto, 2. avrà telefonato, 3. faremo, 4. prenderò, 5. dovrò, 6. sarò finito

11 Risposte aperte

12 È vero che; Davvero; Dico sul serio; Ma certo; Scherzi; Ma sul serio; Ti giuro
Risposte aperte

13 Risposte aperte

14 a. recupero dell'ambiente, rappresentazione teatrale, gemellaggio con una scuola straniera, concorso musicale
b. 2, 3, 6

Test finale

A 1. parteciperemo, 2. inventerò, 3. chiamerà, 4. avrà, 5. farà, 6. canterà, 7. dirà, 8. Sarà

B 1. b, c; 2. c, a; 3. a, c; 4. b, c; 5. a, b; 6. a, c

C

CONCORSO MUSICALE	PROGETTO EXTRASCOLASTICO	OROSCOPO
2	4	3
5	6	1

UNITÀ 2

1 a. 5, b. 4, c. 3, d. 1
Paolo chiamerà un'amica per andare al cinema.

2 1. *sedevano*, 2. giocava, 3. guardavo, 4. tornavamo, 5. cantavate, 6. dimenticavi

3 Risposte aperte

4 eravamo, partecipavo, cantavo, suonavano, suonava, suonava, erano

5

io	noi	mia sorella	la mia mamma	il mio papà e la mia mamma
ero	giocavamo	era	faceva	dicevano
festeggiavo	bevevamo			
davo	mangiavamo			
ero				

Risposte aperte

Chiavi del Quaderno degli esercizi

6

```
D S I S O N O D A C C O R D O
S I L O P E N S O A N C H I O
T E O B J O O S M H C W G S H
I P R S H I N I G U A E N I P
E R E I H C E T W J O S H N O
N O N E V E R O O N E B E A W
A P E V Q N E R Z O E R O I R
N R N E H A D O N E E C X R O
S I C R E D O A N C H I O A N
F O N O A F E M S O Q P A G V
L V F E O R S N B C D T N I E
P E C N O P E N S O D I N O H
H R N I S O U U N O P E N N Z
N O N O N P E N S O C C O E O
```

7 1. ha perso; 2. era, è suonato; 3. andava; 4. suonava, cantava; 5. hanno studiato, sono andate; 6. era, andavamo

8 1. sono andato, 2. abbiamo studiato, 3. dormiva, 4. andavo, 5. guardavate
Oggi ho visitato l'Arena di Verona!

9 ascoltavo, è arrivata, ha detto, c'era, abbiamo guardato, c'erano, è arrivata

10 1. ha *già* fatto, 2. venivo, 3. ho *mai* partecipato, 4. ha frequentato, 5. facevo, 6. facevamo

11

Trapassato prossimo – prima	Passato prossimo – dopo
1) *avevamo fatto*	*è arrivato*
2) avevamo fatto	ha dato
3) aveva mandato	abbiamo incontrata
4) aveva suonato	ha deciso
5) aveva segnato	è cominciato
6) era iniziato	siamo andati

12 avevo pensato, aveva deciso, avevamo chiesto, era andata, aveva vinto, avevate cantato, *avevano giocato*, erano andati, era sembrato

13 1. siamo andati, 2. aspettavamo, 3. aveva comprato, 4. era, 5. venivano, 6. è durato, 7. è stata, 8. è cominciato, 9. era finito

14 Risposte aperte

Test finale

A 1. mandava, dormiva; 2. guardavano; 3. ascoltavamo; 4. perdevate; 5. giocava, chiacchieravano

B 1. sono andati, 2. Sono arrivati, 3. Avevano comprato, 4. hanno fatto, 5. c'era, 6. Faceva, 7. era piovuto/aveva piovuto, 8. ha cominciato, 9. era andato, 10. era tornato, 11. è stato, 12. ha cantato, 13. è uscita, 14. hanno cantato

C **Orizzontali**: 1. preferiva, 6. pensava, 7. era, 9. erano, 10. tornava
Verticali: 2. faceva, 3. diceva, 4. uscivo, 5. cantava, 8. avevo

UNITÀ 3

1 Risposta aperta

2 **A**: il violino, la tromba, il sassofono
B: la chitarra elettrica, la tastiera, la batteria
Risposte aperte

3 **ci**nema, artico**lo**, a**mi**co, cana**li**, sa**la**me, chia**vi**, scuo**le**, **La**ura

4 1. d, 2. f, 3. b, 4. a, 5. c, 6. e, 7. g

5 1. lo saprò, 2. lo so, 3. lo sapevo
Domande aperte

6 Che brutta notizia!, Che fortuna!, Peccato!, frase libera, *Che bella sorpresa!*, Che bella idea!

7

```
R R I C I C L A G G I O E N E F I Y E
I L O S M A L T I M E N T O D E E A I
S R I F I U T M I E U N G R A N N U D
P R O T E G G E R E L E F O R E S T E
A E P R O B L Z E M A E T U T R T O I
R D O B B I A Z M O F A R E L G A E N
M O E N E R G I A E O L I C A I S L T
I R A P A R T P E N E L L A R A A E C
O L A M P A D I N E L E D E N S Z T I
D A T A R I C B O R D I A M O O I T L
I C O N T E N B I T O R E G I L A R L
A L U S O D E L L A B I C I O A P I E
C R L A C A R I T A A Z Z U R R R C O
Q P E R L A P C L A S T I C A E E A I
U S O D E I M E Z Z I P U B B L I C I
A P E R V E T R O E A L L U M I N I O
```

8 1. l', -o; 2. le, -e; 3. li, -i; 4. l', -o; 5. l', -a; 6. l', -a; 7. l', -o

9 1. L'ho comprata, 2. Li ho invitati, 3. L'hanno preso, 4. Le ha mangiate, 5. L'ha portato, 6. L'ho visto

10 1. ne compro un paio, 2. Ne ho settantadue, 3. ne conosco poche, 4. ne ha uno, 5. ne compriamo due, 6. ne ho preso un chilo

11 1-a, 2-b, 3-b, 4-b, 5-a
Puglia

12 Risposte aperte

13 1. verde, 2. città, 3. qui, 4. giocare, 5. soldi, 6. cemento

Test finale

A 1. Li, 2. La, 3. Lo, 4. La, 5. Lo

B 1. a, 2. b, 3. a, 4. a, 5. b, 6. a

C 1, 3, 6, 5, 2, 7, 4

UNITÀ 4

1

Sostantivo	Aggettivo	Verbo
spese	nuovo	*fare*
centro	commerciale	incontrarsi
scarpe	nero	comprare
magliette	bianche	andare
paio	stesso	vestirsi
abbigliamento	stanco	cercare

2 1. al concerto, 2. nero, 3. all'idea, 4. con il gruppo, 5. stanca, 6. magari

3 *mi diverto*, si incontrano, Vi vestite, si sente, ci annoiamo, mi alzo, ti metti
Un famoso architetto italiano è Renzo Piano.
a) Federico Moccia
b) Vasco Rossi
c) Monica Bellucci

4 mi vesto, Ti vesti, si veste, Ci vestiamo, Vi vestite, si vestono

5 *ti svegli*, mi sveglio, mi sveglio, mi alzo, mi lavo, mi vesto, mi pettino, ti guardi
Durante la settimana, Paolo *si sveglia* alle sette e resta un po' a letto a pensare alla sua squadra

preferita. Alle sette e dieci, Paolo si alza, poi si lava, si veste e si pettina. Infine fa colazione e alle otto meno dieci esce di casa per andare a scuola

6 *1. c*, 2. d, 3. e, 4. a, 5. b

7 1. Che ne dici?; 2. Lo trovo molto; 3. Penso che sia; 4. Secondo me è; 5. Che ne pensi?; 6. Credo che sia

8 Risposte aperte

9 Risposte aperte

10 a. entriamo, bella, maglietta, posso, scarpe, particolare, numero, vanno, costano, fortuna
b. avete magliette per il basket?; certamente; che taglia porti?; la large; costa 30 euro; la provo

11 *si è provata*, ti sei svegliato, ci siamo vestite, si sono fermati, mi sono preparato/a, si sono dati, si sono sentiti/e, ti alzi, si guarda

12 1, 3, 6, 5, 7, 2, 4
siamo uscite, *mi sono messa*, Ci siamo provate, Ci siamo incontrate, ci siamo divertite, mi sono svegliata, si è vestita

13 1. Quant'è?; 2. C'è uno sconto?; 3. C'è anche in rosso?; 4. Che numero porta?; 5. Sì, è bellissimo!; 6. Che taglia è?

14 2. Devi svegliarti presto?; 3. Si vuole fermare a casa; 4. Possiamo incontrarci al cinema?; 5. Vi volete mettere una giacca?; 6. Vogliono divertirsi durante le vacanze
A: 6; **B**: 1

Test finale

A 1. sposarsi, 2. baciarsi, 3. incontrarsi, 4. abbracciarsi

B **Che cos'è?**
La maglietta = *a*, I pantaloni = c, Fare spese = b, Le scarpe = e, La gonna = d
Come rispondi?
Risposte aperte
Coniuga i verbi al presente
Mi vesto, Ti prepari, *Si alza*, Ci incontriamo, Vi trovate

Chiavi del Quaderno degli esercizi

Coniuga i verbi al passato

Si sono amati, Vi siete provati/e, Mi sono fermato, Vi siete sentiti/e, Si sono conosciuti/e

Rimetti in ordine le frasi

Ci incontriamo a scuola?; Vi sentite spesso al telefono?; Un gruppo rock si veste di nero; Ti svegli alle nove e trenta; *Si danno appuntamento al cinema*

C **Orizzontali**: 5. blu, 6. rosso, 3. bianco
Verticali: 1. giallo, 2. grigio, 4. nero

UNITÀ 5

1

	all'aperto	al coperto	di squadra	individuale	in acqua	con il pallone
la pallacanestro		X	X			X
il calcio	X		X			X
il ciclismo	X			X		
il nuoto	X	X		X	X	
la pallavolo		X	X			X
il tennis	X	X		X		

2 1. e, 2. d, 3. a, 4. f, 5. c, 6. b
Risposte aperte, ad esempio:
a) Ciao! Ti va di venire da me questa sera a vedere la partita?
b) Ciao! Perché domani mattina non vieni con me a correre nel parco?

3 1. gli do, e; 2. gli, f; 3. le, d; 4. mi, c; 5. ci, a; 6. ti, b

4

Pronome indiretto	Si riferisce a
le	*Giulia*
gli	l'allenatore
ci	noi
mi	me
vi	voi

5 1. Gli parlo oggi, 2. Le compro un profumo, 3. Ti porto io, 4. Ci offre un gelato, 5. Ci chiede aiuto, 6. Gli sembra bella

6 1. mi, 2. le, 3. vi, 4. ti, 5. la, 6. le, 7. gli, 8. gli

7 1. b, 2. e, 3. f, 4. a, 5. c, 6. d

8 1. a, 2. g, 3. h, 4. e, 5. d, 6. b, 7. f, 8. c

9 Cioè?; È grave?; Ma, e le prove?; È in ospedale?;

Parteciperà al concorso?

10 1. a, 2. b, 3. a, 4. a, 5. a, 6. b, 7. b

11 1. c, 2 . f, 3. e, 4. a = il pallone, 5. d, 6. b

12 **Positive**: partecipare a gare sportive, camminare, andare a scuola in bici
Negative: guardare la tv per più di due ore al giorno, giocare molto ai videogiochi, non fare sport
Risposte aperte

Test finale

A 1. le, 2. gli, 3. gli, 4. vi, 5. ci, 6. mi

B 1. le, 2. le, 3. gli, 4. le, 5. gli, 6. la, 7. vi, 8. ti

C

```
R I S P A R M C O D V
L P A R T I T A S S B
R A F I U C A M P O M
R L T E G G E P E S P
E L R O B L Z I M Q O
C A L C E T T O O U E
F V N E R G I N E A D
M O P A R T P A S D F
E L G I O C A T O R E
O O S T A D I O T A V
```

UNITÀ 6

1 Risposte aperte

2 Risposta aperta: composizione libera

3 **TU**: Prova il microfono!, Resta calmo!, Segui il ritmo!
NOI: Mettiamo le magliette!, Saliamo sul palco!, Cominciamo tutti insieme!
VOI: Prendete posto!, Salutate il pubblico!, Respirate profondamente!

4 1. d, 2. g, 3. b, 4. a, 5. c, 6. e, 7. f

5 1. calmati, 2. compratele, 3. prendiamolo, 4. cercala, 5. chiamiamolo, 6. finitele

6

	SÌ	NO
1. camminare molto		X
2. andare dal medico	X	
3. riposare	X	
4. prendere un taxi	X	
5. dimenticare le chiavi		X
6. tornare presto	X	

7 A = dare ordini, B = proibire, C = dare consigli, D = pubblicità

8 **TU**: Non ascoltare!, Non scherzare!, Non portare!
NOI: Non andiamo!, Non proviamo!, Non crediamo!
VOI: Non mettete!, Non telefonate!, Non leggete!

9 3, 8, 1, 5, 2, 7, 4, 6. Risposta aperta

10 1. *Non suonarla / Non la suonare*
2. Non metterle / Non le mettere
3. Non telefonargli / Non gli telefonare
4. Non prenderla / Non la prendere
5. Non portarlo / Non lo portare
6. Non prendermi in giro / Non mi prendere in giro

11 1C facciamo (5), 2A da' (6), 2B va' (1), 3B date (7), 5A state (3), 5C dite (8)

12 *Per andare da scuola a casa di Paolo* gira a destra, va' diritto per 200 metri, poi gira a sinistra e al primo semaforo gira a destra.
Per andare da scuola a casa di Chiara va' dritto fino alla prima fermata, prendi l'autobus 34 e scendi dopo quattro fermate, gira a sinistra e al primo incrocio gira a destra.
Per andare da scuola a casa di Dino gira a sinistra, va' diritto, al terzo incrocio gira a sinistra.

13 **a.** Artisti nominati: Katy Perry, Cascada, David Guetta, Fabri Fibra.
b. 1. a, 2. c, 3. c, 4. b

Test finale

A 1. calcio, 2. ginocchio, 3. stazione, 4. camminare, 5. scarpe, 6. rivista

B 1. falso, 2. vero, 3. falso, 4. falso, 5. falso, 6. vero, 7. falso

C 1. a, b; 2. b, b; 3. b, c; 4. c, b; 5. a, c; 6. a, b